MW00653036

Colección
EMPRENDIMIENTO
Y CRECIMIENTO PERSONAL

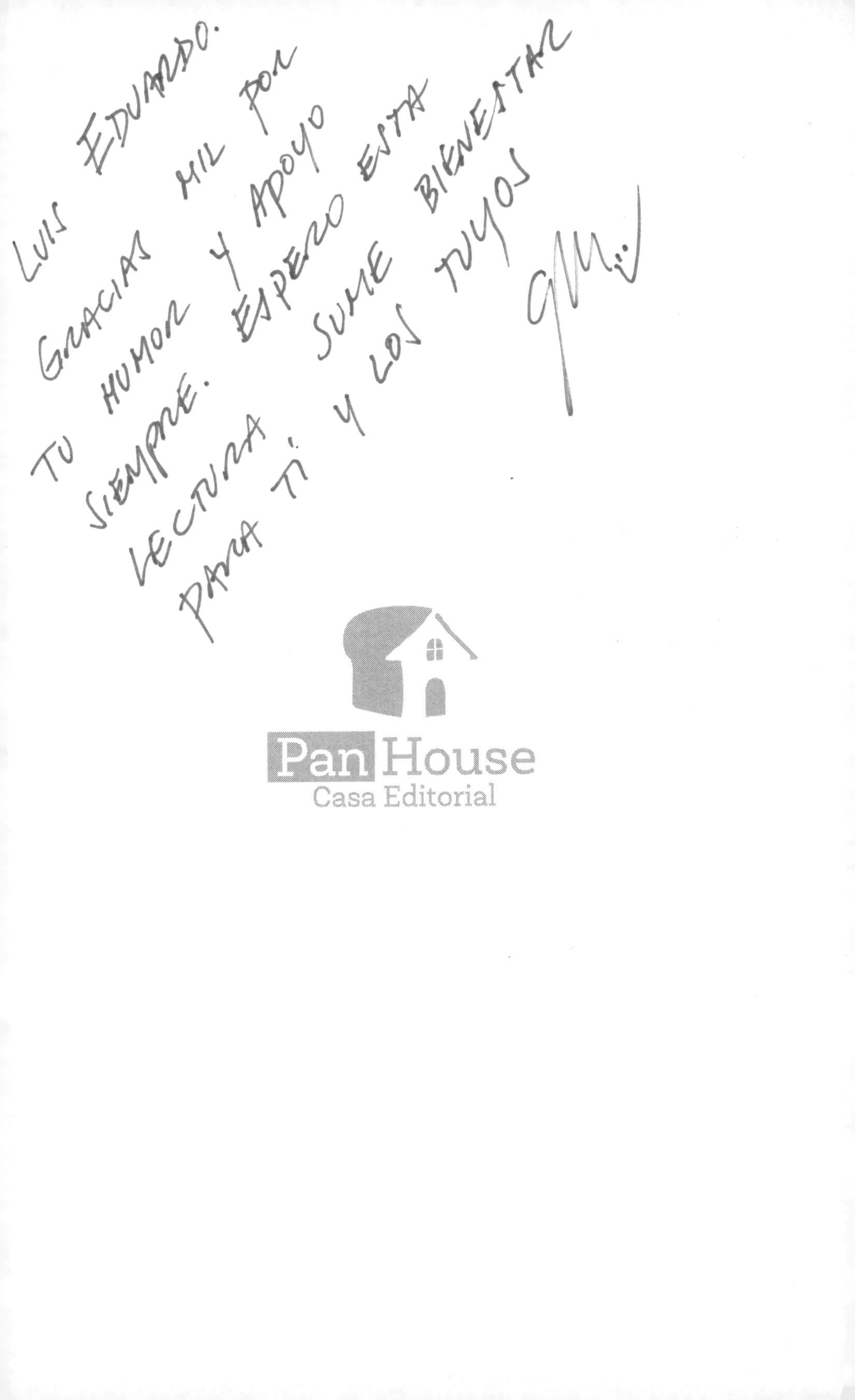

LUIS EDUARDO.
GRACIAS MIL POR
TU HUMOR Y APOYO
SIEMPRE. ESPERO ESTA
LECTURA SUME BIENESTAR
PARA TÏ Y LOS TUYOS

Pan House
Casa Editorial

Derechos de autor Giancarlo Molero.
Sonríe que nadie te está viendo, 2021.

Editorial PanHouse
www.editorialpanhouse.com

Edición general:
Jonathan Somoza
Gerencia editorial:
Paola Morales
Coordinación editorial:
Barbara Carballo
Edición de contenido:
Alberto Acevedo
Corrección editorial:
Carolina Acevedo
Corrección ortotipográfica:
Yessica La Cruz
Diseño, portada y diagramación:
Aarón Lares

ISBN: **978-980-437-006-9**
Depósito legal: **DC2021000141**

Giancarlo Molero

SONRÍE QUE NADIE TE ESTÁ VIENDO

LA FELICIDAD SUSTENTABLE ES POSIBLE

Pan House

ÍNDICE

AGRADECIMIENTOS 11 SOBRE EL AUTOR 13 PRÓLOGO 15

23 — CAP. I — Encuentro de Giancarlo con la felicidad

45 — CAP. II — Emociones

67 — CAP. III — Revolución emocional. La felicidad sustentable

COMENTARIOS 17 PREFACIO 19 EPÍLOGO 151

89
CAP. IV
ACCIONAR PARA ENFRENTAR EMOCIONES NEGATIVAS

111
CAP. V
SER FELIZ MÁS ALLÁ DEL ACRÓNIMO AMARR

135
CAP. VI
EJERCICIOS DIARIOS PARA SUMAR FELICIDAD A TU VIDA

A todos los que suman felicidad en el camino.
A ti que sumas sonrisas en la vida de otros...

AGRADECIMIENTOS

A Tini, por su apoyo, dedicación y amor incondicional.

A Nana, por su ternura, su calma, picardía y amor del bueno.

A Cami, por sus abrazos, disciplina y alegría.

A Guille, por sus enseñanzas, cariño y pasión por los deportes.

A Santi, por su sentido del humor, por compartir su música y recibir mis consejos, aún siendo gente grande en estos días.

A mi mamá y a mi papá por permitirme crecer repleto de bendiciones y oportunidades para sonreír.

A esa brisa que viene del mar y con una energía muy especial me abraza, me llena el alma y que me inunda de ganas de vivir cada nuevo día para poder sumar bienestar a otros en sus vidas.

SOBRE EL AUTOR

Giancarlo Molero es un innovador experto en *marketing*, aficionado a la música y a los deportes, dedicado a sumar felicidad con sus emprendimientos una sonrisa a la vez. Ha liderado esfuerzos en el mercadeo por más de veinticinco años para múltiples marcas a nivel global, y se ha concentrado en generar iniciativas que promuevan el bienestar y la felicidad.

Es creador de la comunidad Toyfeliz.net, cofundador del World Happiness Summit, del bootcamp www.JAPi.love y de www.opcionyo.com, plataforma líder de terapia en línea. Su pasión es crear soluciones y herramientas que incrementen la salud emocional, utilizando la tecnología como medio. Es un convencido de que se puede aprender a ser feliz y podemos manejar nuestras emociones para disfrutar de la felicidad como actitud y de manera sustentable.

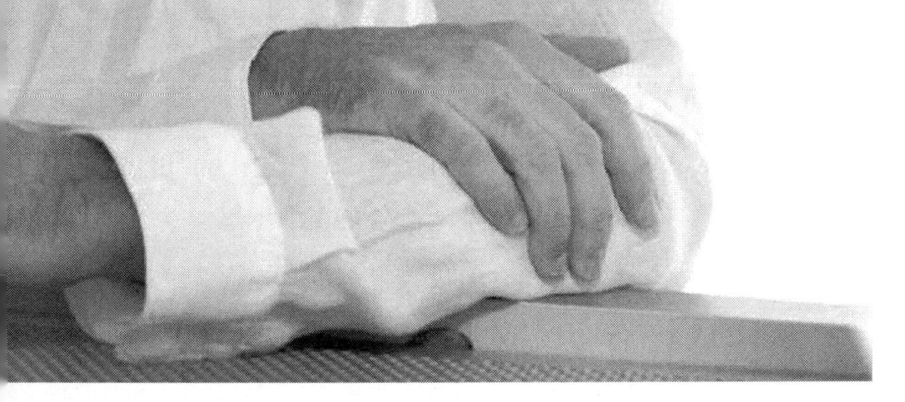

PRÓLOGO

De hace un tiempo para acá se escuchan historias fantásticas de personas exitosísimas que dejan sus trabajos exitosísimos en los que ganan buenas sumas de dinero y que un buen día tienen un *aha moment*, un choque de claridad absoluta y lo dejan todo por seguir lo que entienden les dará plenitud, felicidad, paz, aunque eso signifique empezar de cero…

¡Uf!, me maravillan, siento total admiración por ese desprendimiento, esa valentía, esa lucidez, el saltar al vacío desde una plataforma de seguridad, comodidad y garantía hacia lo desconocido, hacia lo que está por verse, pero con la certeza de que será con una sonrisa amplísima, con calidez en el corazón, con mariposas en la panza por la aventura increíble que se avecina. Lograrlo y atreverse es tenerlo clarísimo.

Eso es exactamente lo que hizo Giancarlo Molero, pasó de ser un ejecutivazo a un curioso investigador del arte de ser feliz. ¿Así o mejor? No puedo pensar en un más deslumbrante plan de vida. Yo tengo la convicción de que la vida es mucho más de lo que nos han contado y tener oportunidad de vivirla a *full* es un privilegio que no todos disfrutan.

Eso es este libro, es tu aproximación a un nuevo comienzo, es el dejar atrás lo preestablecido y apostar a la totalidad, son las herramientas para transitar sin el peso de la conocida definición de «éxito», que en cada caso es tan distinta, pero con factores comunes en todos.

Está científicamente comprobado que no se logra ser pleno desde el egoísmo, se logra cuando dejamos de vernos como el centro. Cuando el foco va a los demás, sucede algo que nos hace resplandecer. "Más bienaventurado es dar que recibir". "Ama a tu hermano como a ti mismo". Ahí está la clave.

Giancarlo, durante muchos años investigó para llegar a la profundidad de esta verdad (y lo sigue haciendo y practicando cada día), lo que a él le costó tiempo y pesares, nos lo ofrece como un atajo, un aprender por cabeza ajena (¡cuánto me gusta eso!). Un regalazo invaluable poder descubrir la simpleza de ser feliz, es una joya que muchos jamás logran descubrir.

Soy una mujer feliz y no lo determina lo exterior (aunque no puedo negar que en ocasiones influye), pero leer este libro ha hecho que me detenga y analice, que me restructure y dé en algunas áreas golpe de timón. Espero que Dios abra tus ojos como abrió los del autor y los míos.

MARLENE RODRÍGUEZ DE MONTANER

COMENTARIOS

"*Sonríe que nadie te está viendo* es un manifiesto a la vida consciente y a la intencionalidad. Este libro es un manual inagotable de sabiduría y de la puesta en marcha para manifestar el propósito creando magia con alegrías. Ciencia y conciencia van de la mano en esta impecable obra".

Ismael Cala
Estratega de vida y desarrollo humano.

"El camino a tu felicidad dejará de estar lleno de curvas. Giancarlo Molero te regala con este libro la posibilidad de construir puentes que te llevan a esta aún más rápido. La buena noticia es que cuando termines de leerlo sabrás exactamente dónde y cómo encontrarla".

Luz María Doria
Autora de *La mujer de mis sueños*,
Tu momento estelar y *El arte de no quedarte con las ganas.*

PREFACIO

Hola, ¿cómo te sientes? He querido comenzar mi recorrido contigo haciéndote esta pregunta, porque seguramente ha sido recurrente a lo largo de tu vida, posiblemente desde que aprendiste a hablar.

¿Podrás recordar cuándo te hicieron por primera vez esta interrogante? Seguramente recordarás tu infancia, esos días en que tenías un malestar de gripe o un dolor estomacal y tu mamá, tu abuelita o tu papá te preguntaban: "¿Cómo te sientes, te duele la barriga? ¿te duele la cabeza?".

Aun cuando ese "¿cómo te sientes?" tenga una connotación directa con algo físico que está mal en ti, es una muy buena pregunta para comenzar una vida feliz, basada en la premisa de la felicidad sustentable; así que esta interrogante no tiene un significado ligado solamente al aspecto físico, sino que puede tener una connotación ligada con el aspecto emocional. Y es que el cómo te sientes es mucho más profundo y permite ampliar más nuestra situación que el simple "cómo estás" al que nos hemos acostumbrado.

Recuerdo que, desde muy pequeño, siempre había alguien que me juzgaba al momento de expresar mis emociones, por lo que aprendí a ocultarlas, incluso antes de identificarlas directamente. Quizá es algo que te pasó a ti también.

Si me caía, por nombrar un ejemplo, me decían: "No fue nada, no llores", o si había tenido un mal día en la escuela y alguien lo notaba, me decía: "No hay razón para que te sientas mal, tú eres más fuerte que eso o mejor que eso".

En el colegio te enseñan a leer, te dan lecciones de matemáticas, te instruyen sobre cómo es tu cuerpo por dentro y cómo funciona cada órgano, te enseñan cualquier cantidad de cosas; igual en la universidad. Cursas asignaturas de la especialidad que elegiste estudiar, pero no te enseñan a entender tus emociones. Te enseñan lógica y la lógica no es más que la forma de llegar a una solución, siempre y cuando partas de una premisa básica que no te explican, porque lo que la lógica recoge es que estás en capacidad de atacar los problemas sin emociones.

Para cualquiera que esté leyendo este libro debe estar claro a estas alturas que prácticamente nada en nuestra vida lo decidimos o lo ejecutamos exentos de emociones.

Siempre me ha fascinado el tema de las emociones. Desde niño tuve un interés particular en entender por qué la gente se sentía mal mientras yo me sentía bien; cuando lo supe, me di cuenta de que la mayoría de las personas tiene muy poco conocimiento sobre las suyas; quiero aclarar con esto que cuando a ti te pregunten "¿cómo te sientes?", lo bonito sería decir con propiedad que te sientes feliz, orgulloso, triste, molesto o quizás preocupado.

Ahora, qué tal si te digo que hay identificadas al menos sesenta y cuatro tipos de emociones, determinadas por el Dr. Marc Brackett, Ph.D. de la Universidad de Yale, que hay algunas que ni siquiera puedo pronunciar, porque son tan esquivas y tan raras que no sabría decirte lo que se siente cuando esa emoción se hace presente.

Hay un mar de emociones que difícilmente podrás conocer en toda su extensión. Sentir una emoción y entenderla es tener el poder para accionar de una manera muy distinta. La montaña rusa de la vida, que va con sus altos y bajos, con sus días grises y rosados, implica que debes tener una actitud ideal para llenar esos valles con alicientes, con algo de oxígeno que te permita aguantar y cruzar esos momentos en que te encuentras debajo del agua y que, para lograrlo, hay que saber manejar una cantidad de herramientas que están identificadas por la ciencia y que las verás de manera resumida dentro de este libro bajo los acrónimos AMARR y RIE.

En el acrónimo AMARR descubriremos los pilares de la felicidad y en el acrónimo RIE, aprenderemos a identificar las emociones, para saber cómo nos afectan y cómo las expresamos.

Cada día se hace más necesario manejar correctamente las emociones, pero el abuso de drogas y el uso indiscriminado de la tecnología lo complican aún más. Es un hecho que las drogas hoy en día son mucho más asequibles y que la tecnología nos inhibe de mantener una relación más estable en términos emocionales. Esos elementos han formado un caldo de cultivo terrible para que todos nos sintamos mal por A, por B o por C, y no contamos con las herramientas necesarias para salir airosos por nuestra cuenta. La realidad es que cuando nos sentimos estresados segregamos cortisol, la hormona del estrés que inhibe a nuestra corteza prefrontal procesar la información.

¿Qué ha sucedido en los últimos diez, quince años? Que las cifras de ansiedad y depresión se han multiplicado enormemente. Un tercio de la población mundial presenta síntomas de ansiedad, los pensamientos negativos relacionados con tristeza, ira, rabia y preocupación se han incrementado en casi un 30 % en apenas ocho años, según el *World Happiness Report 2020*[1].

Claro que hay profesionales que pueden ayudar a mejorar este problema, como los psicólogos, que brindan una orientación para mejorar patrones de conducta que, de manera positiva, intervienen en la forma en que pensamos y suman acompañándonos en nuestro camino, o los psiquiatras que están facultados para llenarnos de fármacos para dormirnos y evitar que recordemos aquellos eventos negativos de nuestra

1 Helliwell, John F., Richard Layard, Jeffrey Sachs, y Jan-Emmanuel De Neve, eds. 2020. *Informe sobre la felicidad en el mundo 2020.* Nueva York: Sustainable Development Solutions Network, 2020, pág. 29. Disponible en: https://bit.ly/2ONhKla

vida, o para mitigar los síntomas físicos que podamos tener producto de las emociones que puedan deprimirnos o llenarnos de ira.

Yo tengo una misión y una visión un poco distinta: si todos logramos conocer nuestras emociones e identificar su origen, entenderemos lo que nos pasa y si practicamos diariamente rutinas que nos permitan ser más felices, podremos salir de cualquier atolladero y de cualquier momento de poca felicidad.

Nuestra intención con esta lectura es, quizás, decirte que tienes todo para sumar en tu vida mucha felicidad significativa y que no tienes por qué ser un zombi de los sentimientos, es decir, una persona que no se activa ante ellos porque está adormecida, bien sea por el uso y abuso de drogas, alcohol o cualquier otra sustancia.

Tienes todo para sumar en tu vida mucha felicidad significativa y que no tienes por qué ser un zombi de los sentimientos.

También para enunciarte que no debes ser juez de tus emociones, no te juzgues, recrimines o laceres por no expresar tus sentimientos cuando están a flor de piel, sino para que más bien seas un profesor y un alumno capaz de darle a otro y a ti mismo un *advice*, un consejo para el manejo de las suyas y que tengas mayor apertura para entender de qué trata esta historia de las emociones y al final te des permiso para sentir y sumar felicidad.

Encuentro de Giancarlo con la felicidad

LA FELICIDAD ES UN ESTADO
DE LA REALIZACIÓN INTERNA,
NO LA SATISFACCIÓN DE LOS
DESEOS INAGOTABLES DE
LAS COSAS EXTERIORES.

MATTHIEU RICARD

Ni asumir,
ni presumir,
van a tu vida
añadir.

— Giancarlo Molero —

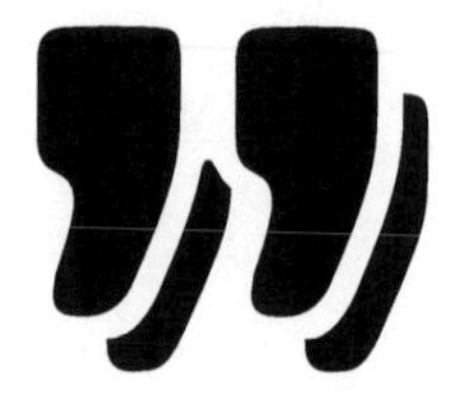

UNA FRACTURA EN EL ALMA

Imagina que perteneces a un equipo de béisbol de ligas menores. Tienes nueve años. Estás en el *dugout* y sales a batear en lo que podría ser el último turno del juego. El estadio está repleto o eso crees por el ruido que hay en las tribunas. Son los *playoffs* y la algarabía que tienen los fanáticos es ensordecedora. Tu equipo tiene el poder y las condiciones para ganar, pero la cosa no está fácil. Hay que derrotar a una gran novena que también quiere ganar y pelea con todas sus ganas para lograrlo.

Para los pocos entendidos en materia de béisbol, los *playoffs* o postemporada, son las rondas que se realizan al terminar la campaña regular, en la que se enfrentan los equipos con los mejores récords y, luego de eliminarse, los dos últimos disputan el título del campeonato.

En mi caso, estaba en juego el pase a la final. Éramos *home club*, corría el cierre del último *inning*, con dos *outs* y estábamos abajo en el marcador por la mínima diferencia.

Había un hilo de esperanza de empatar el juego o *voltear la tortilla*[2] para ganar el partido, porque teníamos dos corredores en las bases. Un buen batazo bien colocado podía empujar a los corredores y dejar al equipo contrario con el sabor agridulce de la derrota, después de acariciar el pase.

Al salir, me sudaban las manos, mi corazón latía como el corazón de un caballo que corre a todo galope por una sabana. Sabía la inmensa responsabilidad que tenía en mis manos y no la quería desperdiciar.

Tomé el bate, lo sujeté con fuerza y miré a las tribunas. Todos gritaban y solo escuchaba un zumbido que retumba-

---

2 "Voltear la tortilla", en el argot beisbolero, significa anotar en el último *inning* las carreras necesarias para aventajar al equipo contrario y ganarles el partido.

ba en mis oídos. El *pitcher* me esperaba, el *umpire* me pidió que entrara al cajón de bateo y, con los ojos fijos al lanzador, esperé por su lanzamiento.

Solo pedía que me la pusiera en mi zona para dejarlos en el terreno. Mi corazón latía con más fuerzas y mis manos no dejaban de sudar. Si alguien alguna vez ha estado en esa situación, podrá entender con facilidad lo que sentía, y quien no lo ha vivido, lo más parecido es el momento cumbre de una película de suspenso en el que la víctima se siente acorralada y casi descubierta por el antagonista de la historia.

El primer lanzamiento fue una bola alta, pero le lancé el *swing* de gradas con ánimos de convertirme en el héroe de la película. El *umpire* me marcó el primer *strike.* El pitcher se sentía tan nervioso como yo, me imagino pensando qué pasaría si sus lanzamientos no caían en la zona de *strike.* Hubo un segundo lanzamiento y esta vez fue bajito, al que pude batear, pero de *foul,* ya eran dos los *strikes* en la cuenta y ninguna bola a favor.

Aún recuerdo lo nervioso que estaba. Mis compañeros en las bases me aupaban, en el *dugout* estaban que se comían los dedos y los fanáticos me pedían un jonrón. Estoy seguro de que el lanzador del equipo contrario estaba pidiéndole a Dios que le concediera un *strike* más para terminar con la presión que tenía sobre sus hombros, yo por mi parte le pedía a Dios que me diera la oportunidad de dar el batazo de oro.

Tomé aire, me puse en posición de bateo, sujeté con más fuerzas mi bate y me concentré en la bola que venía rompiendo el aire de los cuarenta y seis pies reglamentarios que separan el montículo del lanzador y el *home.* Desde que salió de las manos del lanzador, vi como la bola se abría, como para caer lejos de la zona peligrosa.

Petrificado, solo la vi pasar, hasta que sonó como una especie de explosión en la mascota del receptor. Todo pasó como en cámara lenta. La bola después de abrirse, casi que por arte de magia se iba cerrando, formando una curvatura en el aire que la llevó al propio centro de la caja de bateadores. Era un *strike* bien marcado. No quedaba duda, no había discusión.

Sin lanzarle, me ponchó, y con ese último *out* nos despedimos del torneo y de los sueños de ser campeones. De inmediato todo a mi alrededor se tornó oscuro y mis oídos dejaron de escuchar lo que ocurría en el terreno. Por mis mejillas rodaba sin control un mar de lágrimas. No podía dejar de llorar.

Mis pasos eran pesados y caminaba de manera automática al *dugout* para reunirme con el equipo. Algunos de mis compañeros me consolaban, estaban tan dolidos como yo, pero sabían que yo había dado todo por el equipo, solo que no nos tocaba ganar ese año, porque así es el béisbol, unos ganan y otros pierden, pero así no lo pensaba mi *coach*. Apenas llegué y me vio bañado en lágrimas, me pegó un par de gritos:

—Deja de llorar, que con lágrimas no se ganan los torneos. De estar más concentrado no te ponchas como tonto sin tirarle —exclamó.

En ese instante, algo se rompía en mi corazón y en mi alma. Ni el *coach* ni yo sabíamos el efecto que iban a tener esos gritos en el desempeño de los juegos siguientes y en la vida futura de aquel niño que buscaba desarrollar un *skill*, una conducta en un deporte que disfrutaba y gozaba.

Ese momento para mí, hasta el día de hoy, sigue siendo el momento en que una emoción negativa me inhibió de disfrutar plenamente algo que pertenece a mi *dharma,* a las cosas que yo más disfruto y de las que siento mayor placer y mayor gozo.

Pasaron los años y cada vez que sentía que algo malo me perturbaba o que emocionalmente me paralizaba, regresaba a ese momento en el que no logré contribuir a mi equipo. En ocasiones, esa sensación de miedo que quedó de aquel recuerdo ha hecho que mi creatividad disminuya y hasta que me cueste relacionarme con otras personas, porque sencillamente me ha hecho sentirme mal, raro o deprimido.

Quizás algunos aprendizajes llegan por ósmosis, como ese tercer *strike* al que no le hice *swing* y que de alguna forma me hizo saber con mucho énfasis el significado de sentirse mal, pero si algo me quedó claro es que esos momentos pueden utilizarse para crecer en lugar de padecer.

Yo no tengo una historia dramática que contar. Yo no fui el gordo que sufría *bullying*, ni fui el niño que sufrió maltrato infantil en casa y mucho menos el niño que fue víctima de abuso sexual, nada de eso; yo fui el niño privilegiado. Que de hecho a pesar de este episodio logró jugar en el equipo de su universidad y participar en los nacionales, e incluso tener algún chance de jugar béisbol profesional.

Pero ese niño privilegiado que estaba en el tope de la pirámide de quienes no debían sufrir ni tener problemas, se dio cuenta de que el manejo de esas emociones, tanto para los niños como para los adultos, podía convertirse en un problema y una complicación, y es que en la cultura occidental no tenemos ningún tipo de educación sobre nuestras emociones.

Solo sé que ese niño que nació en Caracas, en el seno de un hogar afortunado, donde nada le faltaba y donde ninguno de sus hermanos tuvo mayores pesares, fue creciendo y llegó a la universidad con la dicotomía entre el sentirse mal o el estar mal.

No es lo mismo llegar a casa con una sonrisa en el rostro, que estar con una cara larga, todo apesadumbrado.

Con el tiempo, me di cuenta de que el manejo de las emociones no era un problema exclusivo de los pequeños, sino también de los que ya eran grandes en edad, pero aún imberbes en el manejo de sus sentimientos. No solo los niños necesitan entender cómo las emociones pueden afectarlos, también los adultos tenemos que entender que todo lo que tenemos alrededor nos puede afectar, porque no es lo mismo llegar a casa con una sonrisa en el rostro, que estar con una cara larga, todo apesadumbrado.

DESCUBRIR LA FELICIDAD

Si yo fuera a describir la felicidad como mucha gente la conoce, que es como una emoción, te diría que la felicidad es precisamente el hilo conductual de mi historia de la infancia, en la que me uniformo de beisbolista, me pongo mi gorra, tomo mi guante y salgo al campo de juego a jugar pelota. Es el contacto entre el bate y la pelota, ver caer la pelota de *hit* mientras recorro las bases, es el atrapar un rodado y realizar un *doble play*, esos son los momentos que describen mi mayor gozo y mi mayor placer hasta el día de hoy que soy un señor que está por llegar a los cincuenta años, y que cada vez que tengo la oportunidad de agarrar un guante y una pelota, es así como me siento, vuelvo a esa sensación de gozo, de placer, de *bliss*.

Pero, por otro lado, aprendí desde muy jovencito que esos momentos de placer, sabrosos y divertidos duraban muy poco, como nuestros viajes a la playa, en los que tomaba una tabla de *surf* y agarraba una ola, y mientras me deslizaba en ella, la gozaba por unos segundos, creyendo que duraría varios minutos.

De niño, esperaba horas por montar una ola y, mientras lo hacía, me caía y me golpeaba, pero sin darle mucha importancia, porque sentía que valía la pena. Esa era la felicidad para mí.

Luego crecí convencido de que la historia de hacerme hombre implicaba cambiar mi forma de ser. Al crecer, tenía dos opciones: seguir siendo ese niño que tenía la idea de jugar pelota y que con energía se aferraba a ese proyecto en particular, o ser un señor que comenzaba a ponerse capas o escudos para construir una serie de objetivos que lo llevarían a la felicidad.

Yo tenía fijado en mi cabeza graduarme en la universidad para ser un ejecutivo exitoso. Cada día trabajaba más y más duro para alcanzar esa meta, convencido de que iba a ser feliz; sin embargo, cada vez que llegaba a uno de esos objetivos, me daba cuenta de que en el camino no lo disfrutaba tanto, porque ponía más énfasis en lo que venía y no en lo que estaba viviendo y, por otro lado, entendía que esos logros estaban muy lejos de algo que yo llamo propósitos, que para mí son como la esencia del ser humano.

Poco a poco perdí el norte del niño soñador y decidí llenarme de capas para ser aquel señor exitoso. Pasé de ser un ejecutivo joven y de renombre en Venezuela a ser, luego de emigrar, un ejecutivo en búsqueda de reconocimiento en otras latitudes. Después, me dispuse a emprender y me convertí en socio de una compañía de publicidad. Allí, me volví un próspero líder empresarial, tanto, que comenzaba a ganar algunos reconocimientos a nivel regional y participaba en asociaciones de renombre.

Iba logrando todo lo que me propuse lograr, todo por lo que había trabajado y me había preparado, pero no me sentía a gusto. Después de tantos estudios, de tanta formación, de tanto esfuerzo para llegar a la cima, después de ganar experiencia en el área de mercadeo, un día, sin pensarlo, me quedé solo en la oficina y me di cuenta de que estaba agotado por todo lo que me rodeaba y por lo que era mi vida laboral para ese entonces.

Me vi con detenimiento y sentí que no era yo. No tenía mi uniforme de pelotero ni mi guante ni mi pelota. En definitiva, no me gustó lo que sentí. En un instante tomé una decisión: era necesario dejar todo y agarrar un año sabático para probar cosas que me hicieran sentir esa felicidad que sentía cuando era un niño.

Me reuní con el equipo y dejé la dirección en manos de mis socios. Lo primero que hice fue identificar oportunidades de aprendizaje y tuve la oportunidad de asistir a una conferencia TED, sobre *Los hábitos de la felicidad*. En esa conferencia, me topé con un francés llamado Matthieu Ricard, quien es un monje budista, catalogado en ese momento como el hombre más feliz del mundo.

Este experto en meditación prestó su cerebro en 2004 para un estudio neurocientífico de la Universidad de Madison, Wisconsin, a cargo del experto Richard Davidson[3]. El objetivo de la investigación era determinar cuáles son los efectos que produce la meditación en el cerebro.

Los números a los que alcanzó Ricard, que también es traductor del Dalai Lama al francés, fanático de la fotografía y doctor en genética celular, fueron tan impactantes que fue declarado, sin más, "el hombre más feliz del mundo".

Me dio la oportunidad de conversar con él por algunos minutos y en esa conversación me dijo que para ser feliz debo tener tres cosas en mente:

"Tener muy claro cuál es tu *dharma* —palabra que utilizan para describir esa pasión que te permite estar en *flow*—. Una vez que consigues tu *dharma*, tienes que ponerla en función de otros, lo que vendría siendo tu propósito de vida. No es una cosa sencilla, puedes tardar años, tantos, que hay personas que trabajan toda su vida en busca de su *dharma* y mueren sin conseguirlo".

"Y lo tercero que debes tener es el entendimiento de que, mientras tu *dharma* trabaja en función de otros, vas a sufrir muchas caídas y que tendrás muchos momentos de dolor, porque si hay algo invariable en nuestras vidas, son esos

---

3 Agustín Larrea. "*Los secretos y las claves de Matthieu Ricard, 'el hombre más feliz del mundo'*". *Infobae.com*. Última consulta: 27/12/2020 https://cutt.ly/6zIDlU1

momentos nada placenteros, pero que si actúas con amabilidad y altruismo es mucho lo que vas a disfrutar, aún en los momentos en que falles. Esta es la forma en la que tu felicidad, más que un momento de placer y de gozo, pasa a ser una actitud de sumar a otros mientras logras divertirte".

La felicidad es mucho más que un sentimiento o emoción.

En ese instante, tomé la decisión de separarme por completo de la empresa, porque no me estaba haciendo bien, porque no estaba alineado con mi *dharma,* con lo que comenzaba a identificar como mi propósito. Comencé a esforzarme por entender mejor todo lo referente a la psicología positiva y a entender mejor mis emociones y cómo accionar sobre ellas.

Fue así como identifiqué y aprendí que la felicidad es mucho más que un sentimiento o emoción, que ser feliz es algo muy distinto a estar feliz de a ratos, que para estar verdaderamente feliz debes mezclar en un *bowl* tus acciones, tu pasión, tu propósito y las ganas, darles vueltas hasta que todos los ingredientes queden bien mezclados y puedas saborear todos sus sabores para comenzar a disfrutar de esa fuente que a veces es tan esquiva.

LA FELICIDAD ES LA ACTITUD QUE TE PERMITE VIVIR LA VIDA PLENAMENTE, MIENTRAS LOGRAS ESTAR EN SINTONÍA CON TU VERDADERO YO.

Yo veo la felicidad y la defino de esta manera: es la actitud que nos permite vivir la vida plenamente, cualquiera que nos toque, porque la vida puede ser como algunos la llaman "vida de ricos", esa que se vive sin carencias, aunque sí con dolor; o la "vida de pobres", donde toca sufrir amargamente porque no tienes los recursos para afrontar una enfermedad, una tragedia familiar o cualquier otro pesar.

Sin importar cualquiera que sea nuestra realidad, debemos tener la actitud de vivirla a plenitud en todo momento. ¿Cómo lo hacemos? Imaginemos que estamos frente a una cascada o un manantial por la Gran Sabana, ese maravilloso paisaje venezolano, o que estamos cerca de un riachuelo en Choroní, una de las zonas boscosas más hermosas de la costa venezolana.

Estamos muertos de sed y en vez de ir a la fuente para sumergir las manos en el agua, tomarla y refrescarnos, estamos estresados porque escuchamos unos ruidos desconocidos, o porque el agua que corre por ese riachuelo puede contener muchas bacterias, o porque no está como nos gusta ni muy fría ni muy caliente, porque creemos que no refrescará y comenzamos a crear una historia de todo lo que puede estar pasando con el agua.

La felicidad es esa fuente que siempre está ahí, pero si no existe la capacidad y decisión nuestra de extender los brazos, no podremos disfrutar de ella, eso sería la resiliencia. A veces la vida nos da golpecitos en las manos para que las echemos para atrás, pero tenemos que volver a meter las manos, porque la felicidad se aprende y se enseña, no por lo que decimos, sino por lo que hacemos.

La felicidad no es simplemente la ausencia de infelicidad. Nosotros nacemos felices y nacemos para ser felices. A medida que pasan los años, nos ponemos escudos, capas y máscaras que hacen que nos parezcamos a otros, pero nos alejamos de ser quienes somos.

Nosotros nacemos felices y nacemos para ser felices.

Se nos olvida que debemos reír naturalmente y que, para ser felices, solamente tenemos que incrementar nuestra percepción de lo que pasa a nuestro alrededor y disminuir las expectativas de lo que vendrá. Hay que imaginar a nuestra fuente de agua en aquel riachuelo en Choroní, saber que estamos interesados en explorar cada hojita que se mueve y en escuchar el sonido que hace el agua cuando corre, sentir su frescura, saber que viene fría de la montaña y que se siente rica al tocarla. Hay que caminar por las hojas secas que cayeron y disfrutar de ese sonido que provoca un *chill*, una especie de escalofríos por dentro que antes no sentíamos.

Para ser felices, solamente tenemos que incrementar nuestra percepción de lo que pasa a nuestro alrededor y disminuir las expectativas de lo que vendrá.

Hay que ser capaces de apreciar todo, de incrementar la percepción de lo que vemos y saber que lo bueno se valora, esa sería la primera parte de la fórmula.

La segunda parte trata en reducir nuestras expectativas. En lugar de estar pensando en cosas, como, por ejemplo: vender un millón de copias de este libro o que sería mucho mejor ser entrevistado por un periodista de alguna cadena de televisión nacional en EE. UU., entonces, yo reduzco mis expectativas.

Pienso que, en vez de ser entrevistado, gestionar sí o sí la entrevista en el medio importante, que mis ideas y aportes para el libro toquen el corazón de al menos uno de los que me lean y convencerle de que es un buen plan conocerse desde sus emociones y accionarlas, con base en unas premisas que en el trascurso de este libro conoceremos.

Entendamos que la felicidad ya no puede ser vista como emoción, desde este instante hay que percibirla como una actitud.

LA FELICIDAD Y LA PSICOLOGÍA POSITIVA

¿Qué relación hay entre felicidad y psicología positiva? Si buscamos fuentes sobre la psicología positiva, encontraremos a un autor llamado Martin Seligman. En la década de los noventa, este psicólogo cuestionó la psicología, tal como la conocíamos en aquel tiempo, porque se había enfocado en curar males.

En 2002 publicó un libro llamado *Authentic Happiness*, donde hace un cuestionamiento: ¿por qué no tomamos la parte buena de aquello que nos ocurre, y qué tal si promovemos y hacemos que mucha gente practique lo bueno que hay en su psiquis, lo bueno que hay en su sistema nervioso y lo bueno que hay en su organismo para ser mejores?

Propone utilizar el método científico para estudiar los aspectos positivos de la psiquis y se pasea por la creatividad, la inteligencia emocional, el humor, la sabiduría, el bienestar psicológico y la resiliencia.

En su libro se tocan tres aspectos claves:

- La vida placentera: que busca sentimientos y emociones positivas en el día a día, como la alegría, la gratitud, la inspiración. Todas ellas son temporales, pero influyen en cómo te sientes y quizás están relacionadas con el ambiente externo.
- La vida comprometida: es la que busca un estado de flujo o de *flow*, donde las personas encuentran que las actividades altamente satisfactorias nos llevan a querer ser más felices y nos inspiran a vivir felices.
- Y lo tercero, es la vida con significado: es estar al servicio de algo más grande que sí mismos o que nosotros mismos; que se trabaje para mejorar al mundo. Como por ejemplo nuestra comunidad ToyFeliz.net, que tiene como misión compartir conocimiento científico sobre la felicidad de manera llana y sencilla, o nuestro portal de terapias *online* Opcionyo.com, donde sumamos felicidad una consulta a la vez, entre otras actividades.

LA PSICOLOGÍA POSITIVA Y EL *DHARMA*

Hay una similitud bastante interesante entre la vida placentera, la vida comprometida y la vida con significado, explicada por la filosofía del *dharma* y el psicólogo Martin Seligman, que se entrelazan directamente.

La historia del *dharma* tiene unos tres mil años, mientras que hace un poco más de cuarenta años, Martin Seligman comenzó sus estudios sobre la psicología positiva.

Lo importante es que identifiques que el sentirse mal está bien, siempre y cuando puedas accionar sobre ello, y que el sentirse bien está bien; pero que el sentirse bien de a ratos no es ser feliz, sino que lo fuiste en ese lapso de tiempo.

Para ser feliz tienes que accionar estas tres vías o definir que siempre vas a ver lo mejor e incrementar la percepción de lo que pasa y reducir las expectativas, pues en ese camino se va construyendo esta historia.

Si queremos hablar más sobre la ciencia de la felicidad y su concepto con mayor profundidad, sería la actitud para vivir la vida plenamente, mientras logramos estar en sintonía con nuestro verdadero yo. Tenemos que estar en sintonía con lo que verdaderamente somos y no hay otra manera si no entendemos cómo son nuestras emociones y cómo nos afectan.

PODEMOS SENTIRNOS FELICES SIN IMPORTAR LA EDAD

No hay un rango de edades para ser feliz, porque todos tenemos de manera natural la condición para ser felices y para recuperar la felicidad. Todos nacemos felices. La curva de la felicidad se asemeja a una "u": comenzamos la vida llenos de felicidad y, en la medida que vamos creciendo, las cosas se van complicando.

En el colegio, por ejemplo, los niños comienzan con el *bullying*, porque uno de ellos no lleva los zapatos de moda. Cuando llegan a la pubertad, es como la explosión de infelicidad y es donde viene la bajada, el barranco, porque las hormonas toman posesión de la conducta normal de sus cerebros.

Entonces, los niveles de oxitocina, de dopamina, de endorfinas y serotoninas —que son las hormonas relacionadas con el *feel good*, ese "sentirse feliz"— comienza a tener altos y bajos mucho más rápidos, por eso la mayoría de los adolescentes se sienten deprimidos o sienten que no están encajando en la sociedad; y la parte más baja de la curva está entre los treinta o cuarenta años, cuando el adulto mira para atrás y piensa que no ha logrado todo lo que se propuso alcanzar.

Llegan las dificultades y el peso de mantener una familia, cosa que no tenía cuando joven, comienza a causar una terrible sensación de frustración.

Después de los cuarenta y cinco o cincuenta años, ese adulto se pregunta por qué se tiene que estar preocupando por tantas pendejadas, como el tener o no el carro más bonito, si come o no en el restaurant más *fancy*; y en el caso de las mujeres, dejan de preocuparse por no tener la cartera más linda o la barriga más *flat*. Empiezan a eliminar lastres del exterior o de su entorno que no suman y comienzan a conocerse mejor, pero por ósmosis, no porque se lo propusieron.

Cuando nos proponemos a conocernos mejor, la curva de la felicidad puede hacerse mucho menos profunda y puede hacerse mucho más rápido el crecimiento.

¿Podemos ser felices a los ochenta años? Si no lo fuimos antes, claro que podemos, pero lo normal es que a esa edad ya deberíamos ser felices. Una cosa que tiene la felicidad y que la hace maravillosa, es que cuando tenemos esa sensación de gozo, de placer y la compartimos con los demás de manera empática, de manera compasiva, cuando nos fijamos que el otro la está pasando mal y queremos que la condición de esa persona cambie, somos definitivamente retribuidos.

ACTUAR CON COMPASIÓN Y SENTIDO DE VULNERABILIDAD

Cuando actuamos con compasión y don de gente, cuando somos humanos, somos más felices, porque reconocer que el otro puede estar sufriendo mucho y que podemos hacer algo por él, nos ayuda a comprender que podemos ser vulnerables.

Cuando actuamos con compasión y don de gente, cuando somos humanos, somos más felices.

Cuando nosotros entendemos que está bien ser vulnerables, en contraposición con ese *chip* programado que nos dan desde pequeños, o con ese: "Epa, no llores, epa, tú vas de primero, no te preocupes por eso, sigue adelante y llega a la meta", nos hacemos dueños de nuestras emociones y somos más felices.

Cuando nos damos cuenta de que está bien llorar cuando nos llegan las ganas de hacerlo, que está bien tener ganas de quedarnos en cama por algunos minutos o por horas, en esos momentos estamos dándole paso y abriéndole las puertas a la felicidad sustentable.

Si somos capaces de sentir emociones y nos hacemos los duros o la roca, lo más seguro es que se nos reviente la vida a pedazos antes que convertirnos en la palmera que se va a mover como vaya el viento, de un lado para el otro.

La vulnerabilidad no es un sinónimo de debilidad en ningún caso, tampoco es poner tus emociones en riesgo, en esencia es al revés, es poner de la manera más confiable, más cercana, nuestra realidad y eso implica tener coraje.

No es como lo hacen ver algunos, que el vulnerable es el más débil. **La vulnerabilidad es un sinónimo de fortaleza, es la condición que avisa en lo que más impacta y nos hace capaces de reaccionar**. Si vamos por la vida atropellando a todos, como un camión buldócer o un jeep con parachoques *mataburros* y nos llevamos a todos por delante, terminaremos dejando un camino lleno de baches, de choques, en lugar de ir en automóvil o bicicleta, disfrutando del camino, con la conciencia de que, si hay un barranco, debemos bajarnos de la bicicleta y caminar, y quizás no lleguemos igual de rápido y tampoco podamos montar a todo aquel que queríamos montar, pero no debemos sentirnos mal por eso.

La única manera de poder compartir felicidad y vivir plenamente es arrancando por uno mismo, así comienza la felicidad. No hay manera de dar si no estamos conscientes de lo que tenemos para dar. No podemos dar si estamos estresados, no podemos dar si estamos paralizados, porque una emoción negativa nos tiene apretados o amarrados a una condición negativa.

No podemos dar si no tenemos la disposición de dar. La felicidad comienza por reconocer nuestras emociones y, de nuevo, basados en esta filosofía, que puede ser la de la psicología positiva o la del *dharma*, interpretar las que nos hacen bien y nos llenan, y luego ponerlas en práctica para un bien ulterior, que puede ser una persona dentro de nuestra propia familia, alguien que viva con nosotros o un ser querido, nuestros hijos, o puede ser algo más allá, como la sociedad o como el mundo entero.

Las personas que están viviendo felizmente son las personas que identificaron cómo el entorno impacta en ellas, cómo se relacionan con ese entorno de la manera más plena y cómo ponen un granito de arena para que los demás también sean felices.

También las personas que son felices, presentan un estado de *Flow* el cual se define: "Como una etapa subjetiva que las personas experimentan cuando están completamente involucradas en algo hasta el extremo de olvidarse del tiempo, la fatiga y de todo lo demás, excepto la actividad en sí misma".

La felicidad es mejor compartida y con este libro la propuesta es un llamado de atención para sumar felicidad en nuestras vidas, todos los días, una sonrisa a la vez.

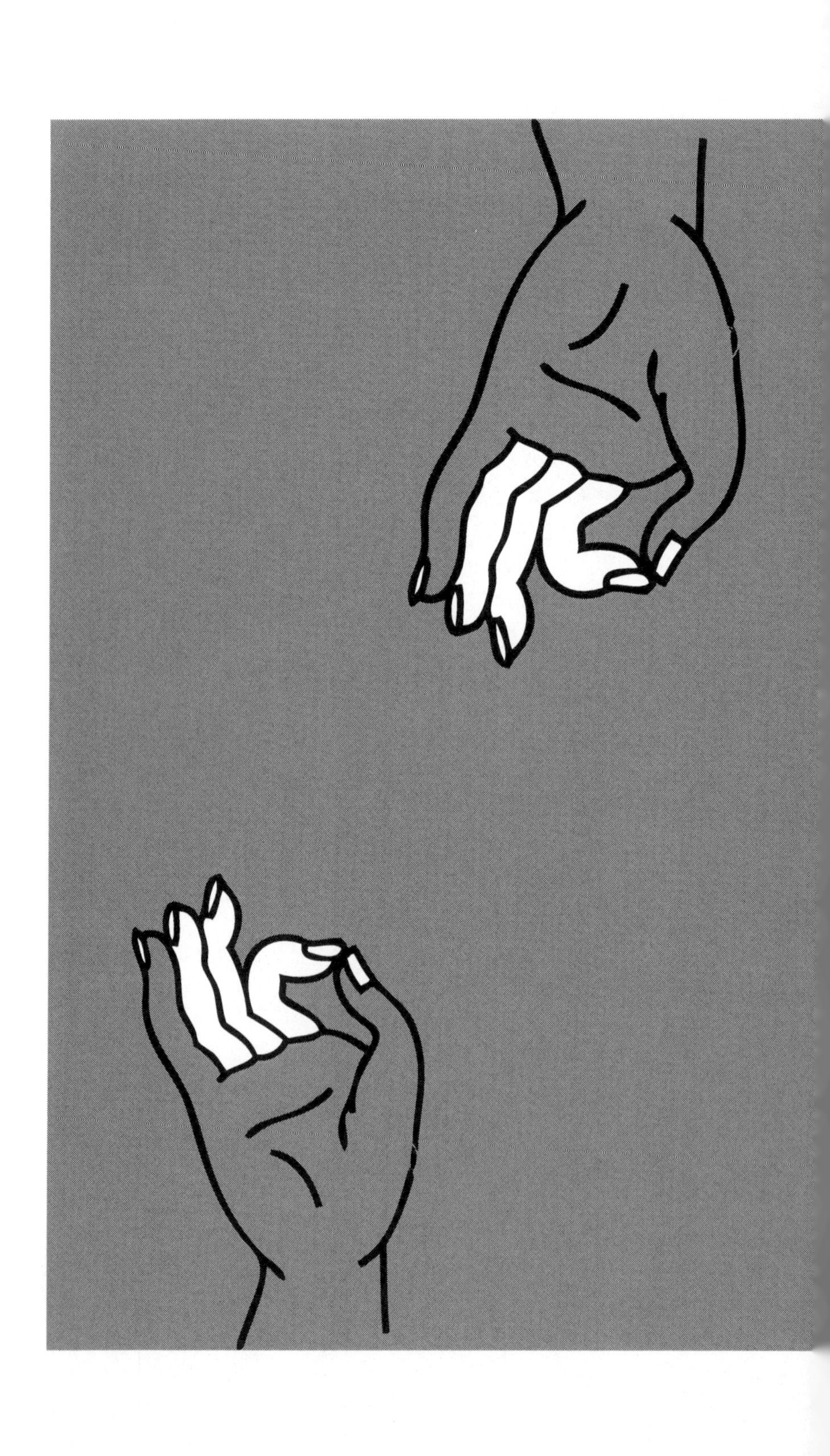

TENER MUY CLARO CUÁL ES TU DHARMA, PALABRA QUE UTILIZAN PARA DESCRIBIR ESA PASIÓN QUE TE PERMITE ESTAR EN FLOW.

Emociones

ESCANEAR CONSTANTEMENTE EL MUNDO EN BUSCA DE NEGATIVOS TIENE UN GRAN COSTO. SOCAVA NUESTRA CREATIVIDAD, AUMENTA NUESTROS NIVELES DE ESTRÉS Y REDUCE NUESTRA MOTIVACIÓN Y CAPACIDAD PARA LOGRAR METAS.

SHAWN ACHOR

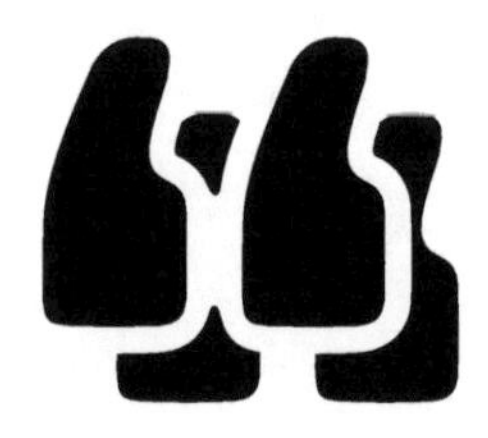

Menos posesiones, más decisiones. Ser feliz es actuar, nada tiene que ver con acumular.

— Giancarlo Molero —

SIN INTELIGENCIA EMOCIONAL NO HAY INTELIGENCIA

Quizás seas el ser más brillante, con el coeficiente intelectual más elevado del mundo, pero si eres incapaz de comprender cómo tus emociones afectan tu conducta, toda esa sabiduría estaría desperdiciada, harías muy poco a tu favor.

El mero hecho de obtener buenas notas en el colegio y de tener un elevado coeficiente intelectual no es suficiente. El éxito en la vida, tanto a nivel privado como profesional, viene determinado en un 80 % por otros factores muy distintos. Entre ellos se encuentran el origen social, una dosis de suerte; pero, sobre todo, el manejo inteligente de las emociones propias y ajenas; así lo relatan las autoras Doris Märtin y Karin Boeck en su libro *EQ Qué es inteligencia emocional*[4].

Seguramente tienes muchas habilidades intelectuales para resolver problemas complicados desde el punto de vista científico o matemático, pero si no identificas los efectos que tienen tus acciones en la vida de otros y en tu propia vida, entonces puedo decirte que has comenzado a cavar tu propia tumba.

Hay que tener en cuenta algo muy importante, nuestros actos influyen de forma positiva o negativa en la vida de otras personas. Por ello, es necesario hacernos responsables de nuestros actos, porque afectan directa o indirectamente a los demás.

Nuestra cultura emocional en ocasiones puede estar muy alejada de lo que consideramos como lo mejor, es decir, el modelo de crianza que aprendimos en nuestro hogar, inculcado por nuestros abuelos, padres o hermanos mayores no siempre podrá ser aplicado en nuestros hijos.

4 Doris Märtin y Karin Boeck. *EQ Qué es inteligencia emocional.* Madrid: Editorial Edaf S.A., 1997.

La educación emocional de ellos posiblemente fue nula o arcaica. Generalmente, somos hijos de padres que no tuvieron la oportunidad de aprender sobre sus emociones. Lo poco que aprendieron no lo aprovecharon para su bienestar. Por tal motivo, fuimos reprimidos, juzgados o regañados por nuestro comportamiento.

Frases como: "¡No llores!", "No te rías tan duro que estamos en un restaurant", "Deja las carreras, que estamos en una fiesta muy importante", "¡Compórtate!", eran muy comunes y frecuentes. Por otro lado, tenemos las frases que juzgaban nuestro comportamiento: "No llores, que eso solo es un rasguño", "No tengas miedo, que el miedo es de cobardes", "No llores, que las niñas son las que lloran", son frases que han moldeado nuestra forma de accionar.

Nacemos felices, con la capacidad de reír más de quinientas veces al día al tener apenas unos meses de vida.

Nosotros no nacemos con un conocimiento emocional amplio, nacemos felices, con la capacidad de reír más de quinientas veces al día al tener apenas unos meses de vida, pero nuestra corteza prefrontal, inmadura y en desarrollo, no reconoce las emociones y mucho menos las puede administrar.

Nacemos con la capacidad de responder ante los estímulos, es nuestra arma de defensa al venir al mundo. El hambre, la sed, el calor, el frío, o las molestias de un pañal sucio son solo estímulos que activan al llanto como mecanismo de defensa.

Ahora, de nuestros padres, hermanos o personas con las que nos relacionamos frecuentemente en nuestra infancia, aprendimos a manejar las emociones. Ese aprendizaje lo arrastraremos a lo largo de nuestras vidas, por eso es necesario liberarnos de algunos lastres emocionales para poder avanzar.

Inconscientemente muchos de esos niños reprimidos actuaban como jueces, solo señalaban el comportamiento de los demás, criticaban y no aceptaban, o fueron como ese adolescente burlón, que hacía *bullying* al estudiante introvertido o con problemas de comunicación, o se convirtieron en ese niño que siempre quiso salirse con la suya.

Hay que revertir esos patrones y convertir a ese tipo de niños en el adulto que entiende, comparte, apapacha y da ánimos a esa otra persona que la puede estar pasando peor que él.

LA INTELIGENCIA EMOCIONAL

Si te pregunto ¿qué es para ti una persona con inteligencia emocional? Seguro responderás que es alguien empático, que te ayuda a conectarte con otros, que es esa persona, que, aunque pueda sentirse muy cansado y estresado, sería incapaz de actuar agresivamente en contra de sus semejantes. Las personas con un alto nivel emocional son capaces de reconocer sus propias emociones y las de los demás.

Este libro te ayudará a convertirte en un experto emocional, te dotará de herramientas para que lo logres, pero antes, hay que conocer y comprender las emociones, los sentimientos, y el estado de ánimo, e identificar las diferencias que hay entre cada uno de estos términos.

En primer lugar, los sentimientos podemos identificarlos como una respuesta interna ante una emoción, es decir, es la forma en la que el cerebro procesa la información que generan nuestros sentidos ante una emoción. Un sentimiento representa la manera en que nos relacionamos con una determinada vertiente o corriente emocional de nuestra mente en un momento preciso.

Un sentimiento dura un poco más que una emoción. Abarca todo lo que pensamos sobre algo y ese pensamiento es generado en el lóbulo central de nuestro cerebro. El sentimiento implica una acción. La mayoría de ellos pasan por un procesamiento más consciente; en cambio, las emociones no pasan por ese mismo procesamiento.

Hay estudios que aseguran que el 50 % de nuestros sentimientos son definidos por palabras negativas, un 30 % por palabras positivas y el 20 % restante por palabras neutrales[5]. Qué quiere decir esto, que tenemos una mayor inclinación a sentirnos mal. La becaria postdoctoral Vera Vine, de la Universidad de Pittsburg, EE.UU., en conjunto con los psicólogos Ryan L. Boyd y James W. Pennebaker, han realizado un trabajo investigativo sobre el vocabulario y las emociones. La revista *Comunicaciones de la Naturaleza,* publicó su trabajo: "Vocabularios de emociones naturales como ventanas a la angustia y el bienestar"[6].

La investigación actual midió los vocabularios de emociones activas en el habla natural generados por los participantes. Examinó sus relaciones con las diferencias individuales en el estado de ánimo, la personalidad y el bienestar físico y emocional.

El primer estudio analizó los ensayos de flujo de conciencia de 1.567 estudiantes universitarios. El segundo estudio analizó los blogs públicos escritos por más de 35.000 personas. Los estudios arrojaron hallazgos consistentes en que la riqueza del vocabulario de las emociones corresponde ampliamente con la experiencia.

Los vocabularios más amplios de emociones negativas se correlacionan con más angustia psicológica y una peor salud física. Los vocabularios de emociones positivas más amplias, correlacionan con un mayor bienestar y una mejor

5 Marc Brackett. *Permission to Feel.* New York: Celadon Books, 2020.

6 Vera Vine, R. L. & J. W. Pennebaker. "Vocabularios de emociones naturales como ventanas a la angustia y el bienestar". *Nature Communications*, n.º 11, 2020. https://go.nature.com/3bCVvrh

salud física. Los hallazgos apoyan las teorías que vinculan el uso y el desarrollo del lenguaje con la experiencia vivida y pueden tener implicaciones clínicas futuras en espera de más investigaciones.

Este vocabulario es el caldo de cultivo para generar problemas de ansiedad y de depresión, porque ese cerebro está siempre en la búsqueda de la *quinta pata del gato* para justificar lo malo de algo, inclusive, ante lo que suena y se ve maravilloso.

Ese individuo no puede aceptar ni disfrutar que algo sea tan bueno y perfecto, busca aquello que dará pie para lo malo. Hay veces que decimos que *después de un buen gusto, un gran disgusto.*

Esa forma de pensar, arraigada en nuestro razonamiento, hace que tengamos una predisposición para aferrarnos a las cosas negativas contra las cosas positivas.

En segundo lugar, están las emociones. Son similares a los sentimientos, pero más fugaces. La emoción es la primera reacción que experimentamos ante un estímulo y el sentimiento es el resultado de esa emoción.

Las emociones no vienen solas, por lo regular, vienen todas mezcladas y por eso hablamos de ellas en términos coloquiales de que tenemos *los sentimientos encontrados.*

En realidad, no son los sentimientos los primeros en encontrarse, sino más bien las emociones. Por ejemplo, en un partido de béisbol, nos alegramos por la victoria de nuestro equipo, pero sentimos un poquito de pena por el amigo que apoyaba al equipo que perdió.

Las emociones, a diferencia de los sentimientos, tienen una especie de velocidad distinta para afectar nuestra manera de aprender. Pueden bloquear nuestra manera de procesar información o paralizarnos de un minuto a otro. En cambio, el sentimiento es un poco más dilatado.

Por ejemplo, las emociones son similares a echarte un chapuzón en un río de agua muy fría, si lo haces, tu respuesta será instantánea apenas te sumerjas en el agua. Tu piel se erizará, los vellos se levantarán y de inmediato empezarás a temblar de frío. Lo contrario pasa con los sentimientos, podemos compararlos con la sensación de meterse bajo una ducha de agua caliente, en la que te metes poco a poco, sientes que te va gustando y la disfrutas cada vez más, hasta que te internas por completo y comienzas a disfrutar de la experiencia.

Normalmente estamos sujetos a meternos en el río de agua fría y no a procesar información, como ese ingreso paulatino en la ducha de agua caliente.

¿Qué tal si preparamos nuestro sistema nervioso con herramientas que nos permitan saborear más el momento presente? Recuerdo cuando era niño, por ahí a mis 8 años, cuando bajábamos a la playa los fines de semana. En el mismo momento de montarnos en el carro en mi casa, en Caracas, ya yo estaba disfrutando del viaje.

Desde la noche anterior, ya tenía preparada la ropa que iba a llevar, ya había encerado mi tabla de surf y dispuesto el cambio de ropa, ya sabía hasta el sabor del helado que me comería de regreso. Eso que hacía de forma natural por el gozo que me generaba ir a surfear, junto con mi hermano, era posible porque estaba apreciando mucho más de lo bueno y no le prestaba atención a lo largo del camino, a la cola que a veces tocaba o al ardor en el cuerpo luego de un día repleto de salitre, roces y hasta golpes con la tabla.

En esencia, practicaba a ser feliz y a disfrutar de mis emociones, aún sin saberlo. definitivamente fueron lecciones que poco a poco fui asimilando para hacer de mi camino uno más feliz y repleto de las emociones positivas, o al menos dándole más importancia.

Sin embargo, el cerebro humano tiende a que, al tener un sentimiento, nos aferramos a él. Si es malo, le ponemos muchísima atención. Podemos decir entonces frases como: "*¡Wow!* Es que me siento mal porque mi novia me dejó", o "Me siento mal por la muerte de un familiar", y refuerzo constantemente ese sentimiento de manera consciente con una emoción fugaz, que llegó y se fue.

Ahora, si nos enfocamos en el estado de ánimo, es más difuso e intenso que una emoción y también un poco más duradero. Al momento de expresar nuestras emociones podemos ejercer dos tipos de posiciones o conductas: la de juez o la de profesor de las emociones. El profesor se preocupa, tiene preguntas y mucha disposición para escuchar sus emociones —Giancarlo en su aventura a surfear cada fin de semana—. En cambio, el juez, solo busca validar sentimientos, negarlos o generar estrés, para él o para la persona con quien interactúa, sin saber por qué razón esa persona tiene ese sentimiento o emoción. Muchas veces, aún hoy en día me pasa, al no poder reconocer y evaluar los efectos de mis emociones o separar los hechos de mis percepciones.

Si creemos que las habilidades emocionales se pueden aprender, comenzaremos a tener mayor certeza y confianza en nosotros mismos, con la esperanza de cambiar y crecer a partir de esos sentimientos y esas emociones. Si nos identificamos como un profesor de emociones, podremos instruir a otros. Si podemos cambiar la programación emocional que recibimos de niño, cuando juzgaban nuestras emociones y nos inhibían al expresarlas, entonces en ese momento nos haremos más inteligentes emocionalmente.

Las personas de mayor inteligencia emocional poseen herramientas para percibir, identificar y manejar lo que sucede en la realidad y, por ende, tienen mayor felicidad sustentable.

Los inteligentes emocionales, mientras descubren y conocen sus emociones, comprenden que son breves y encuentran una salida rápida a esos momentos de rabia, de tristeza, nostalgia o duelo. No se aferran al sentimiento, sino que procesan la emoción. Saben que aferrarse es una causa natural y que salir de ellos es lo más sano.

EMOCIONES EN CUATRO COLORES

El profesor Marc Brackett, fundador del Centro para la Inteligencia Emocional de la Universidad de Yale, EE. UU., diseñó un sistema basado en la evidencia para el aprendizaje social y emocional que ha sido adoptado por más de 2.000 escuelas públicas y privadas, desde preescolares, hasta secundarias de los Estados Unidos y otros países, como Australia, China, Inglaterra, Italia y México[7]. Su sistema se llama Ruler (*recognizing, understanding, labeling, expressing and regulating)* que significa reconociendo, entendiendo, etiquetando, expresando y regulando las emociones. Este sistema está compuesto por un cuadro tipo cartesiano, dividido en cuatro cuadrantes. Cada uno indica la forma y la intensidad en que procesamos y expresamos las emociones.

Hay dos cuadrantes del lado derecho, uno superior y uno inferior. Estos dos cuadrantes representan los sentimientos positivos. El superior es de color amarillo, que indica los sentimientos positivos fuertes o agradables, los sentimientos positivos de menor intensidad son representados por el cuadrante verde.

De igual manera, tenemos dos cuadrantes del lado izquierdo, uno superior y uno inferior. Representan los sentimientos negativos o desagradables. Los sentimientos

7 Yolanda Gómez Torres, "¿Hay una edad ideal para educar en inteligencia emocional?", *Portafolio,* 20/02/2020. https://bit.ly/30z08fA

negativos fuertes, están representados por el cuadrante rojo, los sentimientos negativos débiles, están representados por el cuadrante azul.

Para medir las emociones, utiliza el método cartesiano de eje X y eje Y. El eje X (horizontal) indica el nivel de sentimiento agradable o desagradable. El eje Y (vertical) indica el nivel de energía que invertimos para expresar esos sentimientos, si es alto o bajo.

Los niveles de intensidad positivos, parten desde el +1, hasta el +5 en una escala de valores. Los niveles negativos, en la misma escala, parten desde el -1, hasta el -5.

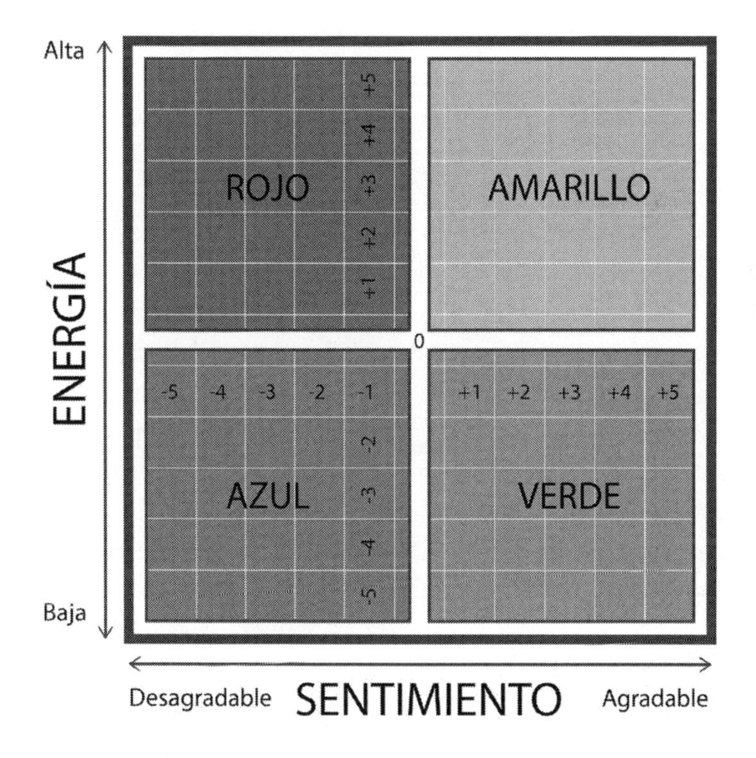

El recuadro verde indica ese sentimiento de paz, calma, enamoramiento, o el estado de agradecimiento. Este cuadrante positivo demanda poca energía. Es un estado de relax total.

En el recuadro azul, están los sentimientos desagradables de poca energía, como el aburrimiento, el desgano, esa sensación de querer estar todo el día en la cama por agotamiento, depresión, sentimiento de soledad, entre otros.

Si subimos la energía en el renglón de cosas desagradables, entonces estaremos ubicados en el cuadrante rojo, que indica un estado de furia, de frustración, de tormento, etc. Pero si nuestra energía alta se encuentra en el renglón de sentimientos agradables, estaremos ubicados en el cuadrante amarillo, el recuadro en que queremos permanecer siempre. Representa los estados de felicidad, de gozo y placer, de orgullo, de optimismo, inspiración, motivación, de euforia, etc., etc.

Al ver las emociones en este recuadro y pintarlas de colores, nos apoderamos de una herramienta que nos permite reconocerlas e identificarlas, para accionarlas y comunicarlas.

LA IMPORTANCIA DE CONOCER NUESTRAS EMOCIONES

Nos permite conocer el grado de afectación en que percibimos y actuamos ante situaciones y experiencias que vivimos.

Supongamos que te sientes feliz, esa felicidad te llevará a tener pensamientos positivos. Si estás molesto, tienes todo a favor para volverte un pesimista de la nada. Pero si permaneces en silencio, después de tener una discusión con tu pareja o con un familiar, como tu madre, tu padre o un hermano, toda esa emoción negativa hará que tus acciones conviertan este día en un día de porquería. El hecho es que tus acciones y reacciones se llevarán a cabo bajo la premisa de que estás mal.

Las emociones nos ponen en modo de combate o de escape. Una vez que nos damos el permiso para sentir, abrimos una puerta para preguntarnos si tiene sentido permanecer en el dolor, la rabia o el sufrimiento o si conviene salir de ese estado negativo.

No es fácil dominar las emociones, no nacimos con ese conocimiento, al contrario, tenemos que ser alumnos, aprenderlas y comprenderlas para poder convertirnos en el maestro de nuestras emociones y construir sobre ellas. Y tal cual como se hace en la cultura budista, regresar cada cierto tiempo con humildad al salón como alumno para seguir aprendiendo de nuestras emociones y cómo nos impactan.

RIE (R)

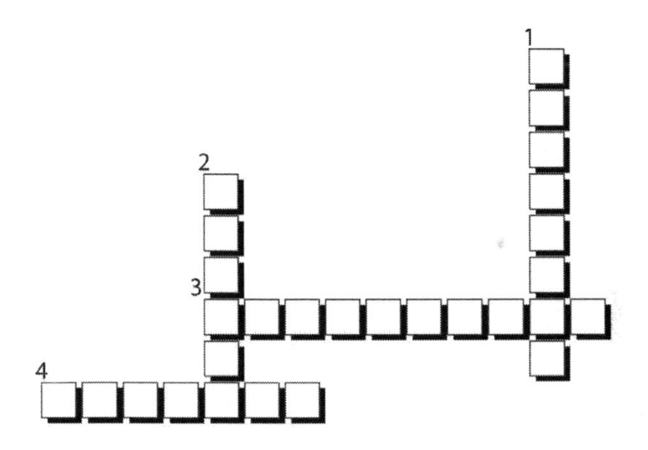

EL ACRÓNIMO RIE (R): RECONOCE, IDENTIFICA, EXPRESA (REPITE)

Vamos a retomar el ejemplo de la discusión en casa. Después de discutir con tu familiar, sales a la calle y te diriges a la estación del metro. De repente, mientras estás en el andén esperando el tren, sacas tu celular y te pones a jugar, para no aburrirte en la espera.

Una vez que el tren está por arribar a la estación, un grupo de adolescentes pasa corriendo entre la gente para abordar uno de los vagones y, en el hecho, te tropiezan y te tumban el celular que cae y se le parte la pantalla. En ese momento, sientes que el día se vuelve el peor día de tu vida. No piensas en nada más, solo quieres golpear e insultar a ese muchacho que te tumbó el celular, indudablemente estás de lleno en el cuadrante rojo.

Pero si el caso es al contario, que sales de tu casa después de recibir una noticia maravillosa, como un ascenso en el trabajo, un aumento salarial, y luego vas hasta la estación del metro, te tropiezan, se te cae el celular y se parte la pantalla, quizás no llegas a estar en el cuadrante rojo, tal vez analizas el escenario y te das cuenta de que ya era hora de cambiar el móvil, o de que ahora podrás comprarte uno de mayor calidad o mejor rendimiento. Por eso es importante saber qué ha ocurrido antes y procesarlo al instante.

Luego de hacer todas las preguntas de rigor, como el por qué se te cayó el teléfono, por qué salieron corriendo los muchachos, si pudiste o no evitar que se cayera el móvil, si era necesario jugar en el andén mientras esperabas el tren, entre otras preguntas, toca identificar la palabra correcta que te llevará al cuadrante correspondiente del sistema de colores. La palabra correcta podría ser tristeza, desasosiego, pena, por nombrar algunas.

Organizar esa experiencia, darle un nombre, una etiqueta a esa emoción, identificarla correctamente, te permitirá dominarla y administrar la energía que inviertes en ella. Eso hará que sea más fácil salir rápido de ese recuadro que consume energías y que desagrada. A eso se le llama inteligencia emocional.

Una de las herramientas que nos permitirá aprovechar al máximo nuestra inteligencia emocional, es el acrónimo RIE (R). Sin importar lo que te pase, RIE (R); sin importar cómo te sientes, RIE (R); y RIE (R) significa **reconocer** esa emoción, **identificarla** y, saber cómo te afecta, te permite **expresarla** y **repetir** esa acción, nos hace crecer, en lugar de padecer en el enojo, la tristeza o la depresión, producto de esa emoción.

Para poder ser un buen maestro de las emociones tenemos que manejar un conjunto de habilidades que permitirán mejorar nuestro estado de ánimo y las reacciones ante nuestras emociones. Lo primero que tenemos que hacer es **reconocer**.

Hay seis emociones básicas que debemos reconocer:

- La felicidad
- La tristeza
- La ira
- El miedo
- La sorpresa
- El disgusto.

La idea de reconocer cada una de estas emociones básicas, es tener una guía para ubicarnos correctamente en el mapa de estos cuatro cuadrantes y saber cómo nos sentimos con ellas.

Siguiendo con el ejemplo del celular, una vez que reconoces la emoción que sientes en ese momento, que puede ser de tristeza, producto del daño en la pantalla del celular, toca identificar las causas que promovieron esa emoción, saber cómo y cuánto te afecta y si tiene la fuerza suficiente para incrementarse o para seguir afectándote.

Todos somos distintos y todos tenemos maneras muy diferentes de reaccionar, así que seguramente, para algunos, el hecho de perder el celular por un tropezón, lo pueda ubicar inmediatamente en el cuadrante rojo y quizás, para otros, no sientan que los afecte con tanta energía, así que se quedan en el cuadrante azul. Esa expresión es personal de cada individuo.

Para poder ayudarte y que puedas ayudar a otros, antes debes evaluar el escenario y hacer una serie de preguntas que te ayuden a aclarar la situación, como por ejemplo, preguntarte cómo fue que pasó, por qué pasó, qué ocurrió antes, si el problema que tuviste en casa pudo afectarte en la concentración de tu sentido del espacio y olvidaste el lugar en el que te encontrabas, en fin, te conviertes en una especie de investigador privado y te formulas todas las preguntas que permitan identificar la palabra correcta que va en cada uno de los cuatro cuadrantes.

La gran oportunidad que nos brinda el acrónimo RIE (R), implica una actitud ante nuestras emociones, una acción a tomar. Es un manual de herramientas que nos ayuda a leer el mapa, ese cuadro de colores, para ir de una ciudad a otra, de un cuadrante a otro. Si queremos ir de la emoción de tristeza y desagrado a la emoción de felicidad, con ese mapa podremos identificar el camino a seguir, ese es el juego que tenemos que jugar.

Ir de un lugar a otro implica que ejecutemos una acción, eso es la actitud, recordemos que en el capítulo pasado dijimos que la felicidad es una actitud más que una emoción,.

Ir de un lugar a otro implica que ejecutemos una acción, eso es la actitud, recordemos que en el capítulo pasado dijimos que la felicidad es una actitud más que una emoción, y la podemos ubicar en el cuadrante amarillo.

¿Cómo llegar a esos cuadrantes? Podemos hacerlo felizmente, pero eso no significa que podamos ir de triste a feliz de un solo golpe. Hay que tener en cuenta que, para lograrlo, primero debemos transitar por otras emociones y saber qué ruta tomar, sin saltarnos el paso de **expresar** las emociones.

Antes de llegar a ese punto del acrónimo, debemos hacer un recuento de lo que hemos hecho, como reconocer el grado de energía que invertimos en la emoción que sentimos, identificarla, y luego marcar el cuadrante correspondiente a esa emoción; para expresar o decir cómo nos queremos sentir, a dónde queremos llegar, saber qué emociones expresamos más y si nos sentimos cómodos al expresar cada emoción correspondiente a cada uno de los cuatro cuadrantes.

Hay personas que no saben manifestar su molestia y hay quienes no saben expresar sus emociones positivas. Aprender a expresar tiene como finalidad evitar que nos avergoncemos por expresar cada una de nuestras emociones, no tiene por qué importarnos cómo se siente la gente al vernos sonreír, llorar, enojarnos o entristecernos. Lo más terrible que tiene nuestra sociedad es que nos obliga a asumir un estado emocional ideal para no incomodar a otros.

Hay que acabar con ese patrón y expresar nuestras emociones para sentirnos bien con nosotros mismos y mejorar el estado emocional de las demás personas.

Al tener la capacidad de expresar abiertamente nuestras emociones y seguir esa R de **repetir**, como **ruta** del mapa, podemos transitar por cada cuadrante.

Lo importante es tener presente qué tipo de personas queremos ser.

Para culminar con el ejemplo del celular, si te molestaste por la fractura de la pantalla, después del tropezón en el metro, instantáneamente, por lo regular, te posicionas en el cuadrante rojo. Sin embargo, puedes elegir calmarte un poco, evaluar la situación y bajar unos niveles de esa energía para descender al cuadrante azul. Está en ti qué acción tomar.

Después de analizar el escenario, evalúas si te quedas ahí o te calmas, para moverte hasta el cuadrante verde. Una vez ahí, decides qué hacer: si decides reparar el móvil, cambiarle la pantalla y permanecer en la zona verde, o comprar un celular más sofisticado y subir al cuadro amarillo. Ojo que no me refiero a la compra del celular nuevo sino a la manera cómo estás cambiando tu forma de ver las cosas para sentirte como si tuvieras ya uno nuevo en las manos.

Hay quienes experimentan sus sentimientos con mayor intensidad que otros, no obstante, esas experiencias determinan si pueden desarrollar los diferentes límites para sentirse provocados, sorprendidos o sobresaltados.

Existe una diferencia sensible para el manejo de cada una de estas emociones. Debemos tener en cuenta la subjetividad del asunto y que cada quien maneja las emociones de diferentes maneras. Las personas iracundas, que se enojan con mucha facilidad o el que vive alegre y sonriente todo el tiempo, no tienen nada que ver con la habilidad que pueda desarrollar una persona para moverse de un cuadrante a otro.

Es posible que, dependiendo del estímulo, esa persona vaya directo al cuadrante rojo, amarillo o azul, eso es muy personal, pero la habilidad que se genera al reconocer, identificar, expresar y repetir este proceso para llevarnos al recuadro amarillo y ser feliz sustentablemente, es una habilidad que todos podemos desarrollar, convertirnos en profesores emocionales y dejar de ser jueces.

Quien no sabe a dónde ir, elige mantenerse en esa laguna emocional, en la espera de que alguien los rescate.

Para concluir, lo importante es tener presente qué tipo de personas queremos ser, porque indudablemente, si le preguntas a alguien en qué recuadro quiere estar y esa persona entiende y reconoce sus emociones, aun sabiendo que es un cascarrabias, te dirá que prefiere el cuadrante amarillo.

Si esta persona reconoce, identifica y expresa sus emociones, tendrá herramientas para pasar rápidamente de un cuadrante a otro, eso depende de lo que esa persona quiera ser, si quiere ser una persona apasionada, comprometida, compasiva, amorosa, solidaria, responsable, amable, que inspire, que aliente; y que define lo que quiere, podrá mantenerse en el cuadrante amarillo o verde, el de la felicidad sustentable. No hay otra forma ni manera para lograrlo.

Hay personas que no elijen el recuadro rojo o el azul, como recuadro ideal para mantener sus emociones, simplemente les ha tocado vivir momentos desagradables continuamente, lo que se hace habitual para ellos permanecer en esas ciudades del mapa emocional.

Quienes se mantienen en el cuadrante azul necesitan la ayuda de otros para tomar un impulso y salir de allí, porque no tienen la ruta, les cuesta identificar sus emociones, no tienen la noción de reconocer, identificar, expresar y repetir a dónde quieren ir. A ellos quizá les haga falta un GPS externo, un apoyo o ayuda de un especialista.

Quien no sabe a dónde ir, elige mantenerse en esa laguna emocional, en la espera de que alguien los rescate. Son personas que se deprimen con facilidad y que necesitan de ayuda profesional, como ayuda psicológica o psiquiátrica.

La idea es que todas las personas aprendan a identificar sus emociones y usen el mapa de cuadrantes para pasearse por esas ciudades emocionales. De lograr este cometido, crearemos una revolución, una guía para que todos puedan partir de esos cuadrantes que no suman en sus vidas, e ir a esos cuadrantes que incrementen en su bienestar.

Imagina una sociedad conformada en su mayoría, por personas que saben escuchar y que su minoría fuesen personas que solo saben juzgar; imagina una sociedad con menos estigmas, menos racismo, con menos personas llenas de decepciones. Imagina una sociedad en que las personas vulnerables puedan identificar y expresar sus emociones sin ser cuestionados o ser señalados, seguramente tendríamos una sociedad con más sentido de la justicia y equidad.

La sociedad perfecta no es la que está compuesta únicamente de personas que solo sonríen y viven en un estado de alegría colectiva, nos referimos a personas que tienen la suficiente inteligencia emocional para identificar un sentimiento desagradable e identificar su cuadrante. Si conocen la ruta que deben tomar, sabrán que deben repetirla continuamente para liberarse lo más pronto de las zonas de enfado, tristeza o depresión y llegar a los cuadrantes de felicidad sustentable y, así, convertirse en un profesor emocional.

Revolución emocional

La felicidad sustentable

LA FELICIDAD CUESTA TRABAJO. DEBES PONERLE ESFUERZO, DEBES COMPROMETERTE, HACERLO A DIARIO.

Sonja Lyubomirsky

“

NO PIERDAS
EL ENFOQUE,
SIGUE SONRIENDO.

– Giancarlo Molero –

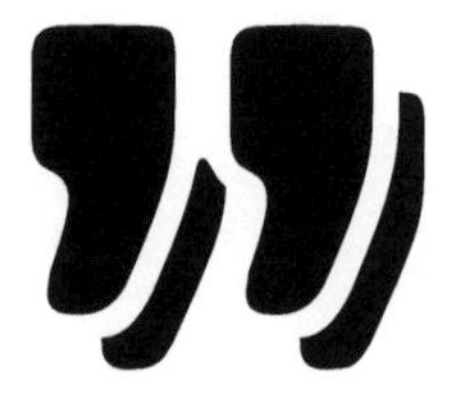

BIENESTAR EMOCIONAL

El bienestar emocional es la capacidad que tenemos para identificar nuestras emociones, relacionarnos con ellas y vivir felices a partir de ellas.

Cuando apenas era un muchacho de dieciséis años, decidí mudarme de ciudad, en Venezuela, para estudiar lo que para aquel momento sentía era mi pasión, Medicina.

De repente, me encontré de manera rápida y muy fuerte, con una montaña de incertidumbres y dudas porque nunca antes había salido de mi casa por tanto tiempo. No tenía las herramientas para lidiar de un solo golpe con casa, estudio y amistades nuevas.

Mucho habría agradecido yo que los amigos, en lugar de invitarme a tomar unos tragos luego de ese primer día de clases, me hubiesen pedido que les contara cómo me sentía. Mucho hubiese agradecido que el dueño de la casa, donde se suponía comenzaría mi nueva vida, en lugar de explicarme dónde encender las luces o el calentador, me hubiese explicado cómo lidiar con mis pensamientos de soledad y vacío provocados por los nervios y la ansiedad de ese primer día de universidad, en esas primeras noches de "independencia".

Las personas con mayor inteligencia emocional tienen mayor salud psicológica.

Y en verdad, no tenía idea en aquel momento de que necesitaba ese apoyo u orientación ya que aunque así fuera, no tenía idea de cómo precesar mis emociones. Les cuento esta historia porque así vamos creciendo, poniendo por delante objetivos, compromisos, tareas y no las emociones y las vivencias que tocan para alcanzarlas. Es ahí en que el manejo y entendimiento de las emociones ayuda mucho.

Las personas con mayor inteligencia emocional tienen mayor salud psicológica, son menos ansiosas y su riesgo a sufrir depresiones es menor. Los inteligentes emocionales tienen menos agotamiento físico porque sus pensamientos están enfocados en cosas que suman y no en las cosas que restan energía. El inteligente emocional toma decisiones más acertadas en su vida, crea un ambiente de trabajo de mayor calidad y tiene un mayor desempeño académico, entre otras cosas. Hay mucha evidencia científica que demuestra que la inteligencia emocional facilita el aprovechamiento del IQ (cociente intelectual).

Al hablar de inteligencia emocional muchos pueden descubrir que están cerrados a sus sentimientos y a los sentimientos de otros. Con frecuencia juzgan rápidamente sobre el estado emocional de las personas en función de sus expresiones faciales o su lenguaje corporal. Ahora, bajo el nuevo rol que tenemos como profesores de las emociones, debemos enseñar a esas personas a evaluar sus sentimientos, cómo son y cómo sus prejuicios pueden afectar a otros.

El profesor de las emociones busca temas que ayuden a otros a expresar esas emociones y trata de comprender qué hay detrás de ese comportamiento que reflejan. Su enfoque no está dirigido en cómo luce la persona o cómo manifiesta lo que siente con palabras, porque caerían en valoraciones de juicio y no identificarían correctamente las emociones que están detrás de esa expresión facial que muestra el individuo.

El profesor de las emociones trata de volverse un poco más preciso para identificar emociones. Se ayuda en una serie de preguntas, comienza por él mismo, como, por ejemplo, si se siente decepcionado o enojado, si tiene expectativas no cumplidas o si siente que han sido injustos con él.

Ese maestro/profesor de las emociones, en la medida que va a puliendo o mejorando esas capacidades, en la medida que practica con él mismo, se hará más inteligente emocionalmente, en procura de su bienestar emocional y podrá aplicar sus conocimientos en otras personas para que puedan, al igual que él, encontrar el suyo.

REGULACIÓN EMOCIONAL *VS.* REPRESIÓN EMOCIONAL

Hay una realidad que no debemos menospreciar y es que la mayoría de las personas, desde la infancia, han sido reprimidas emocionalmente y tenemos que tener bien claro que la represión es inútil para nuestro bienestar emocional. Una cosa muy distinta es la regulación de nuestras emociones y otra es la represión.

El mejor ejemplo que tenemos para graficarlo, es el que vimos en el capítulo anterior, cuando un niño cae e inmediatamente le dicen: "No llores, solo fue un rasguño".

Como profesores emocionales, en vez de pedirle al niño que no llore, lo correcto sería enseñarlo a regular el llanto enorme que pueda expresar en ese momento, ayudarle a enfocar el punto de mayor dolor, y mientras libera sus lágrimas, darle herramientas para que ese llanto le dé paso a otra expresión de su dolor o molestia, así podrá sanar y mejorar su bienestar emocional.

La represión, como medio de educación utilizado por nuestros padres y por el sistema, ha sido empleada a través del uso estratégico de gritos, señalamiento de culpas, uso de medicamentos, alcohol o el método de la negación. Como verán, son instrumentos que no suman al bienestar emocional.

Tenemos que aprender a regular nuestras emociones y no a reprimirlas. Para lograrlo, debemos utilizar herramientas como el diálogo interno positivo, la respiración consciente, la reevaluación cognitiva, la búsqueda de apoyo ante familiares, amigos, o acudir a consultas con profesionales, quienes están más capacitados para entender mejor el comportamiento de las mismas.

COMO SERES HUMANOS,

estamos hechos para vivir en comunidad con otros y no hay nada más relevante que podamos sentir que el hecho de contribuir en la vida de otro.

Una gran parte de la enseñanza de la regulación de las emociones, consiste en ayudar a otras personas a identificar las emociones que suman positivamente y las que restan.

Hay que evaluar lo que aprendimos y lo que aplicamos en nosotros para ayudar a otros a hacer lo mismo. Las estrategias útiles hay que practicarlas, al igual que lo haríamos con cualquier otra disciplina, de esta manera, el conocimiento perdurará con el tiempo.

Sería bueno preguntar si la estrategia utilizada para desarrollar bienestar, construir relaciones y lograr el éxito es buena, si cumple con el acrónimo RIE (R), si podemos reconocer, identificar y expresar nuestras emociones.

En la medida en que repitamos ese ciclo y manejemos mejor nuestras emociones, como, por ejemplo, controlar nuestro ser cascarrabias, emoción común en muchas personas; será más difícil entrar en estados depresivos, de inconformidad o de insatisfacción, lo que mejoraría sustancialmente nuestro bienestar emocional y tendríamos bien sujeto a ese Sr. Hyde, del personaje ficticio de la novela *El extraño caso del doctor Jekyll y el señor Hyde*, del afamado escritor Robert Louis Stevenson, que hace alusión al carácter explosivo y *monstruoso* de nuestro temperamento.

Sentirse bien emocionalmente no tiene nada que ver con estar contento, sentirse feliz o en estado de algarabía.

Lo que no se practica no sirve para nada. Tenemos que sincronizar lo que está en nuestra mente con lo que está en nuestro cuerpo y alma.

Sentirse bien emocionalmente no tiene nada que ver con estar contento, sentirse feliz o en estado de algarabía. Sentirse bien emocionalmente es tener la capacidad de poder moverse desde las emociones rojas y azules a las emociones verdes y amarillas; además, de tener el don de saber comunicarlo para que otras personas puedan hacerlo por su cuenta.

Lograr que una sociedad alcance su bienestar emocional, en definitiva, reducirá los niveles de conflictos, los estados de tensión, los disgustos y, en consecuencia, todos estarán en sincronía para sumar bienestar para cada individuo y para la sociedad.

LA EMOCIÓN DE LA FELICIDAD Y SER FELIZ

La experiencia de alegría, satisfacción, bienestar y sentirse positivo, combinados con la sensación de saber que la vida es buena, significativa y valiosa es lo que define la felicidad como una emoción. Percibir siempre lo mejor de todo lo que vivimos y reducir las expectativas, sin importar lo que nos toque, ayudará a que seamos realmente felices.

Recordemos que **la felicidad es la actitud que nos permite vivir la vida a plenitud y alcanzar el máximo potencial.** Vivir la emoción es algo momentáneo, la idea de bienestar no se trata de estar feliz o contento todo el tiempo, se trata de sacarle el jugo a cada una de las situaciones que te van tocando.

Percibir siempre lo mejor de todo lo que vivimos y reducir las expectativas, sin importar lo que nos toque, ayudará a que seamos realmente felices.

En un estudio realizado por la doctora Sonja Lyubomirsky, profesora de la Universidad de California, EE. UU.[8], se pudo determinar los múltiples beneficios de expresar nuestra gratitud.

El estudio demostró que el mero hecho de escribir una carta de agradecimiento (aunque no se enviara ni se entregara de ninguna manera) bastaba para producir un incremento sustancial de la felicidad. Se pidió a los participantes que identificaran a varias personas que hubiesen sido especialmente amables con ellos en los últimos

8 Sonja Lyubomirsky. *La ciencia de la felicidad.* México: Urano, 2011, p. 59.

años. Los que dedicaron quince minutos a escribir cartas de agradecimiento a aquellas personas una vez por semana, en el transcurso de ocho semanas, fueron mucho más felices durante y después del estudio.

Curiosamente, el incremento de la felicidad era mucho más notorio si los participantes en el estudio estaban especialmente motivados para ser más felices, si la actividad de la "carta de agradecimiento" se adecuaba a sus objetivos y preferencias, y si dedicaban un esfuerzo adicional a la tarea de escribir un *diario de la gratitud*, el individuo perdía los efectos del aburrimiento por la rutina. Otros de los beneficios gracias a este diario, son los siguientes:

1. Pensar con gratitud ayuda a saborear las experiencias positivas de la vida.
2. Expresar gratitud refuerza la autoestima y el amor propio.
3. La gratitud nos ayuda a afrontar el estrés y el trauma.
4. La expresión de gratitud estimula el comportamiento moral.
5. La gratitud puede ayudar a establecer vínculos sociales y fortalecer las relaciones.
6. Tiende a inhibir las comparaciones envidiosas.
7. Ser agradecido reduce y evita tener emociones negativas.
8. Nos ayuda a frustrar la adaptación hedonista.

El ser humano, como especie, es increíblemente adaptable. Cuando considera que algo lo hace feliz, como un ascenso o un aumento salarial, en un corto período de tiempo, sentirá que esa emoción se desvanece si no logra apreciar lo que vive en el camino. El hecho de conseguir pequeños éxitos, solo deja en el individuo momentos temporales de placer y de gozo, que solo conceden minutos de felicidad.

Si ese individuo quiere hacer una vida feliz, debe comenzar a apreciar cada una de las oportunidades que le da la vida, para sacarle el mayor provecho a cada minuto, y para eso podemos practicar un acrónimo que veremos en los capítulos siguientes.

Estamos expuestos a vivir una diversidad de emociones a diario. Tal vez caigamos en la tentación de decir que vamos a evadir o esconder todo lo malo que nos puede pasar, porque de esa manera pudiéramos sentirnos más felices. La realidad es que si no practicamos nuestra *emodiversidad* y no somos capaces de ir plasmando todas las emociones que sentimos, estaremos coartando la capacidad de ser feliz.

Siempre habrá alguien que diga: "No demuestres tanta alegría", "Deja de mostrar tus sentimientos", porque tal vez le parezca de mal gusto, irrespetuoso o hasta mala educación mostrarse tan feliz. Temen mostrar felicidad para no lastimar a alguien que perdió un familiar, creen que demostrar tristeza es un signo de debilidad ante las personas o, simplemente, temen demostrar enfado para evitar que otros le digan que con malas caras y llorar no se resolverá nada, por nombrar algunos ejemplos.

Si no somos capaces de enfrentar nuestras emociones o de identificarlas, estaremos generando ansiedad y no disfrutaremos lo que nos toca vivir, estaremos generando un círculo vicioso, que, al caer en él, reprimirá de inmediato nuestras emociones, generando frustración por no identificar o expresar la emoción que nos embarga o trataremos de ocultarla, lo que inhibirá todo lo bueno que pueda pasar en ese momento.

Hay que expresar esa emoción negativa y convertir a ese círculo vicioso en un círculo virtuoso. Reconocerla, identificarla, expresarla con actitud, nos permitirá sacar el mayor provecho de ella.

Por más que queramos ocultar o reprimir las emociones negativas o positivas, hacerlo nunca sumará felicidad, al contrario, las restará. El hecho de no reírse a carcajadas cuando toca, o no llorar cuando toca, nos impedirá alcanzar la felicidad sustentable. **Si queremos vivir y disfrutar la vida plenamente, entonces tenemos que sentir plenamente.**

Podemos reutilizar nuestros estados de ánimo, sin importar si están en el cuadrante rojo o azul. Al ser capaces de reconocerlas, identificarlas y expresarlas, podemos llevarlas al cuadrante amarillo o verde, eso hará que la felicidad sea sustentable, de ese modo, haremos que nuestra vida tenga muchas más emociones amarillas, sin olvidar que en algún momento también tocará vivir las emociones azules o rojas.

Si dejamos que nuestras emociones negativas vaguen por nuestra mente sin control alguno, se convertirán en una especie de envases plásticos que el oleaje de la playa arrastrará continuamente, y contaminarán nuestros pensamientos, porque creemos que, por ser negativas, no las podemos usar a nuestro favor.

El hecho de no reírse a carcajadas cuando toca, o no llorar cuando toca, nos impedirá alcanzar la felicidad sustentable.

En cambio, si revertimos esas emociones malas a buenas, veremos que esas emociones negativas dejarán de ser esos envases plásticos que se lleva el oleaje, perdurarán por mucho tiempo en el océano de nuestra mente y se convertirán en envases ecológicos, evitando así que se queden contaminando nuestros pensamientos.

Esa basura que dejó de acumularse en nuestro cerebro podemos convertirla en abono para generar acciones positivas y hacer que sumen felicidad a nuestro día a día.

Anthony Robbins, en su libro *Despertando al gigante interior*[9], nos habla de la importancia de aprender a usar las emociones negativas por lo que son, llamadas para la acción, las cuales permitirán que podamos cultivar emociones positivas.

La felicidad es sustentable si y solo si, entendemos que sentirse bien es una maravillosa oportunidad para hacer sentir bien a los demás.

En términos de relaciones, la felicidad es sustentable si y solo si, entendemos que sentirse bien es una maravillosa oportunidad para hacer sentir bien a los demás. Como sociedad, como especie, como humanidad, lograr que la felicidad sea sustentable comienza por sentirnos bien y hacer que quienes están a nuestro alrededor se sientan mejor. Para eso es vital el uso de los acrónimos RIE (R) y AMARR, este último lo veremos en los capítulos siguientes.

VIVIR LA EMOCIÓN

Si ya hemos reconocido, identificado y expresado nuestras emociones, podemos decir entonces que hemos vivido la emoción, porque tenemos la noción de que lo hemos hecho con mayor detalle, con conciencia, mucho mejor de como la vivíamos antes.

Vivir la emoción no es permitir que nos sobrepase. Si hemos sentido tristeza y llorado amargamente por ella, sin sacarle provecho, entonces no la vivimos. Eso ocurre cuando no aplicamos el acrónimo RIE, pero de ser capaces de aplicarlo y sacar algo productivo de esa emoción negativa, podemos decir entonces que sí la estamos viviendo y tendremos la oportunidad de accionar en el círculo virtuoso de

9 Anthony Robbins. *Despertando al gigante interior*. México: Grijalbo Mondadori, 2007, p. 208.

la emoción, el cual permitirá pasar de ese estado de molestia, dañino, y que resta energía, a un estado que suma para nosotros y para las demás personas.

Vivir la emoción y pasar de un estado a otro tiene que ver con el hecho de prestarle atención, etiquetarla o reconocerla. Tiene que ver también con la actitud y la decisión de salir de ese cuadrante negativo y marcar la ciudad a la que queremos ir en nuestro mapa de colores, y, por último, tiene que ver con el don de dar y con la amabilidad, sabiendo que primero nos damos y luego le damos a otros.

Hay que aceptar con humildad que somos vulnerables. La vulnerabilidad es un elemento necesario para tener bienestar emocional.

En este sentido estaremos viviendo las emociones a plenitud, a diferencia del que decide quedarse estancado en el cuadrante azul o rojo, bien sea porque no supo identificar o expresar su emoción, o bien sea porque sí pudo hacerlo, pero no tuvo la actitud para salir de ahí.

No siempre vamos a tener la actitud, pero si hemos reconocido que estamos estancados en un cuadrante rojo o azul y sabemos que no es bueno estar ahí, hay que buscar apoyo con alguien cercano que maneje bien sus emociones o buscar la ayuda de un especialista.

Hay que aceptar con humildad que somos vulnerables. La vulnerabilidad es un elemento necesario para tener bienestar emocional, clave para alcanzar la felicidad, porque el que cree que no es vulnerable y se siente todopoderoso, no podrá aprovechar la oportunidad de relacionarse con otros, de conectar con otros de manera empática y no podrá expresar sus emociones negativas.

Sentirse vulnerable es un tema complicado, más para los hombres que para las mujeres. Históricamente el hombre siempre ha sido el fuerte, el proveedor, quien protege y lleva recursos a una familia o comunidad y la mujer siempre ha sido catalogada como la encargada del cuidado y la crianza de los niños.

En la figura de la vulnerabilidad, ese hombre, además de poseer el don de mando y de proveedor, debe tener también el entendimiento de saber cuáles son sus emociones y ver cómo pueden afectar a quienes le rodean y pasar de ser un proveedor material a ser también un proveedor emocional para su pareja, para su familia y para su comunidad.

La capa de rudeza, de ser el hombre insensible, en algún momento se fracturará o caerá y dejará expuesto al hombre vulnerable, porque la vida, al final del día, nos quiebra a todos, a hombres y mujeres por igual, y ese hombre, esa mujer que expresa sus emociones, que llora y se desahoga con su pareja, vive su emoción y alcanza el bienestar y la felicidad sustentable.

Quien pasa la vida en procura de no permitir que su ego se rompa, se hace un muy mal favor. La vida se va a encargar de rompérselo y en él está el poder aprovechar esos momentos de quiebre emocional, para sumar en su vida y en la de los demás. Es así que podrá sumar felicidad de la que dura, de la que llamamos sustentable.

PREGUNTAS PODEROSAS PARA HACERTE CADA DÍA

Hay momentos en que podemos ver la realidad con cierto grado de distorsión, de una forma diferente. Para encontrar el mejor enfoque y ver la realidad tal y como es, podemos formularnos una serie de preguntas poderosas que nos llevarán de vuelta a la realidad correcta y no a esa que está distorsionada en nuestra mente. Con ellas podremos identificar qué pensamiento no es la realidad que creemos, y más bien, cómo utilizar ese pensamiento para mejorar nuestra realidad y no entorpecerla.

Podemos comenzar el día formulando estas tres preguntas: ¿qué quiero para mí en el día de hoy?, ¿qué quiero dejar atrás?, ¿qué puedo sumar en la vida de otros?

Como un hábito que hago a diario, yo las realizo apenas me despierto, luego de agradecer a Dios, cosa que lo pueden hacer de la manera que consideren más conveniente, como, por ejemplo, a través de una oración o la meditación, luego me estiro en la cama, comienzo por las piernas, luego los brazos y de último, unos movimientos del cuello hacia los lados. Lo hago para despertar y oxigenar a mi cerebro para que se prepare y esté atento a todas las cosas que vamos a vivir.

Me despierto y comienzo a reforzarme con pensamientos positivos, a reforzar mi intención de permanecer en los recuadros verdes y amarillos durante todo el día, que el día que apenas comienza, sea un día feliz y de gozo.

Por ejemplo, podemos decir en la primera pregunta: ¿qué quiero para mí en el día de hoy? Quiero tener la oportunidad de ser agradecido y entender que hay otros en el camino que están dando más de lo que yo doy. Quiero la oportunidad de ser lo suficientemente amable con las personas que me rodean y que mi amabilidad los ayude a construir su día. Quiero sonreírle al que no me sonríe. Quiero tener la oportunidad de conectarme o de reencontrarme con ese amigo con quien no hablo desde hace años. Podemos hacer las preguntas que queramos para el día, siempre y cuando sean positivas y nos mantengan en los cuadros emocionales amarillo y verde.

Ahora, viene la pregunta: ¿qué quiero dejar atrás? A pesar de que la sugerencia es que las preguntas se hagan apenas despiertes cada mañana, puede surgir la duda de qué cosas queremos dejar atrás, porque, si apenas estamos despertando, no hay mucho que dejar atrás, salvo las cobijas y la cama.

Siempre hay cosas que restan, que pueden perturbar y que se van en nuestros pensamientos al irnos a la cama. Hay personas, por ejemplo, que no queremos que sigan a nuestro lado. No es solo decirlo, se trata también de reforzarlo, de manera que, cuando sucedan y aparezcan en nuestras vidas las oportunidades de conectarnos o acercarnos a lo negativo, sepamos reconocerlo.

¿Qué quiero dejar atrás? La capacidad de juzgar a otros. ¿Qué quiero dejar atrás? Ser esa persona reactiva que explota ante sucesos fortuitos que puedan pasarle. ¿Qué quiero dejar atrás? La disposición a comer tantos dulces porque afectan mi salud. Estas preguntas muestran el tono o el color que tenemos al comenzar el día. No es una fórmula mágica que regala días maravillosos, solo es una manera de decirle al cerebro que se ponga los lentes del optimismo para que vea lo que hay afuera, en lugar de despertar en automático y dejar que el control remoto del reproductor de nuestra película lo tenga otro.

¿Qué puedo sumar en la vida de otro? Como seres humanos, estamos hechos para vivir en comunidad con otros.

Estas preguntas ayudan a tener el control y saber en qué momento de la película podemos detenerla, repetir el capítulo, adelantar una escena para salir del cuadrante azul e ir al cuadrante verde, porque es el cuadrante que me conviene.

Por último, nos formularemos la pregunta: ¿qué puedo sumar en la vida de otro? Como seres humanos, estamos hechos para vivir en comunidad con otros y no hay nada más relevante que podamos sentir que el hecho de contribuir en la vida de otro.

Uno de los pilares fundamentales para los seres humanos son las relaciones, tema que en los próximos capítulos desarrollaremos con mayor profundidad. Desde cosas muy sencillas, como preparar una taza de café a la persona que queremos o cosas más complicadas, como proveer el alimento para la familia, son las pequeñas cosas que podemos hacer para sumar felicidad a la gente que nos rodea.

En términos más profundos, es ver cómo mis acciones del día pueden sumar en la vida de un tercero. Me pregunto: ¿cómo me puedo marcar instrucciones para que mis acciones del día puedan sumar en la vida de otros? Con esa pregunta estoy sentando las bases para que mis acciones diarias lo puedan hacer posible, y cuando doy a diario, estoy multiplicando la felicidad.

El objetivo principal de estas preguntas es para que quien se las formule, esté preparado para los acontecimientos que puedan desarrollarse durante el día, que entienda que no todos los días son de color rosa, pero que puede darle un matiz más armónico si tiende a ponerse gris.

En mi caso, por ejemplo, puedo ir al trabajo en mi vehículo, cosa que hago a diario bien temprano en la mañana, y encontrarme con un conductor distraído que me choque el vehículo.

Si una de mis peticiones en la formulación de la pregunta ¿qué quiero dejar atrás? No fuera dejar mi carácter explosivo, seguramente, aparte del choque del vehículo, tuviera también una pelea con el otro conductor.

Vivir en modo automático no es un buen plan.

Las preguntas contribuyen al logro del bienestar emocional, para evitar que reaccionemos y que más bien accionemos de una manera positiva frente al percance, de manera consciente.

Vivir en modo automático no es un buen plan. Dejar que las cosas pasen sin tener conciencia de ello, sin tener la forma de accionar sobre ellas no es buena idea.

Si vivimos plenamente, pero si también nos cuestionamos para mejorar cada día, para dejar atrás lo malo que podamos hacer, o dejar atrás lo malo que traemos, y que, además, podamos sumar en la vida de otros, sabremos que el agua, por más que nos llegue al cuello, no nos ahogará, porque con nuestras acciones, con nuestros pensamientos positivos y con la disposición para estar mejor, siempre estaremos un escalón por encima para vivir una felicidad sustentable.

La felicidad sustentable pasa por reciclar los pensamientos y emociones negativas. Al pasarlos por la máquina —nuestra atención plena— la cual los reconoce, identifica sus efectos en cada uno de nosotros y permite expresarlos. De esa forma, podremos tomar acciones sobre ellos. Por otro lado, podemos poner en práctica esa idea maravillosa de AMARR sin importar ni el día ni la hora que sea.

Accionar para enfrentar emociones negativas

LA MEDITACIÓN DISMINUYE
LAS CAUSAS INTERNAS
DE SUFRIMIENTO Y SACA A
LA LUZ LOS POTENCIALES
DE LA CONCIENCIA HUMANA
EN EL MUNDO ACTUAL.

DALAI LAMA

“

Bloquea tus oídos de voces negativas.

– Giancarlo Molero –

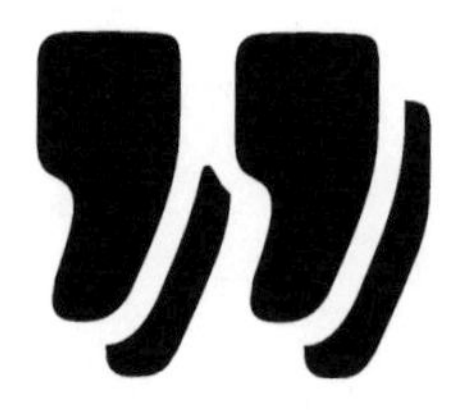

RESILIENCIA

La resiliencia es una de las claves para ser feliz y la podemos definir como la capacidad que tenemos los seres humanos para sobreponernos ante el dolor emocional y ante las situaciones adversas que enfrentamos, manteniéndonos cercanos a nuestro verdadero yo.

La resiliencia es la capacidad de resolver los retos que encontramos en nuestra carrera por la vida, si vemos a la vida como uno de esos *reality shows*, en los que los participantes, bajo exigencia de diferentes habilidades, tienen que pasar por múltiples dificultades. Si caen, tienen que reponerse rápido y continuar hasta el final del objetivo para superar la prueba.

La resiliencia es una de las claves para ser feliz .

La amabilidad, la determinación y la autoestima hacen que nuestro nivel de resiliencia sea mayor. Entre más resilientes, mejor manejaremos el estrés y nos haremos más sociables.

La clave para hacer que la resiliencia sume bienestar a nuestra vida, está en saber utilizar las experiencias del pasado como mecanismos de intervención o de *hackeo* para nuestro cerebro.

La resiliencia no es algo estático, cambia con el tiempo y hace que nuestro bienestar mejore. ¿Cómo podemos hacerlo? cambiando la manera de narrar los acontecimientos que nos han afectado. En lugar de contar las cosas negativas y revivirlas una y otra vez, reforzando lo desdichado o tristes que podamos estar, escribamos en detalle lo sucedido e identifiquemos lo que hayamos aprendido para resaltarlo como un aporte positivo de esa experiencia, dejando a un lado nuestra posición de víctima y convirtiéndonos en protagonistas de una situación.

Otra forma de construir resiliencia es enfrentando los miedos. Si hablar en público te da miedo, pues entonces enfréntalo y preséntate ante el público. Puedes comenzar presentándote ante tus familiares y luego, gradualmente, ir a una audiencia mayor.

Enfrentarnos ante nuestros miedos y ante ese estado de ansiedad controlada, nos permite ser más resilientes para rebotar y superar más rápido esos escenarios.

La autocompasión es otro de los puntos que ayuda a fortalecer nuestro nivel de resiliencia. Sufrir está bien, pero quedarnos estancados en el dolor es dañino. Confrontar nuestros sufrimientos con amabilidad, aceptarnos como somos, ser autocompasivos y aceptar lo que nos pasa, hará que salir adelante sea más fácil.

La meditación es otro de los elementos que nos ayuda a desarrollar la resiliencia. Con ella calmamos nuestros pensamientos negativos, prestamos atención a los detalles y desarrollamos la neuroplasticidad[10], lo que permite que hagamos de cada experiencia, una vivencia positiva. Así podremos absorber lo mejor de cada una de ellas y enriquecernos con cosas agradables en medio de lo malo. Sería una forma de acondicionar nuestro cerebro para que supere con mayor eficacia futuros eventos desafortunados.

Si nos enfocamos en lo positivo, podremos ser mucho más resilientes.

10 La Organización Mundial de la Salud (1982) define el término neuroplasticidad como la capacidad de las células del sistema nervioso para regenerarse anatómica y funcionalmente, después de estar sujetas a influencias patológicas ambientales o del desarrollo, incluyendo traumatismos y enfermedades. https://bit.ly/2NalEnN

Hay que tener en cuenta que el mundo no es como lo percibimos. Si nos enfocamos en lo positivo, podremos ser mucho más resilientes.

De nada vale sentirse feliz si esa felicidad va a ser de a ratos. De nada vale si cada vez que nos acostamos a dormir tenemos una sensación de ansiedad, pesadez o de inconformidad, lo que no permite que disfrutemos la vida. Tenemos que activar las bases de la felicidad para vivir una vida plena y sustentable.

AMARR

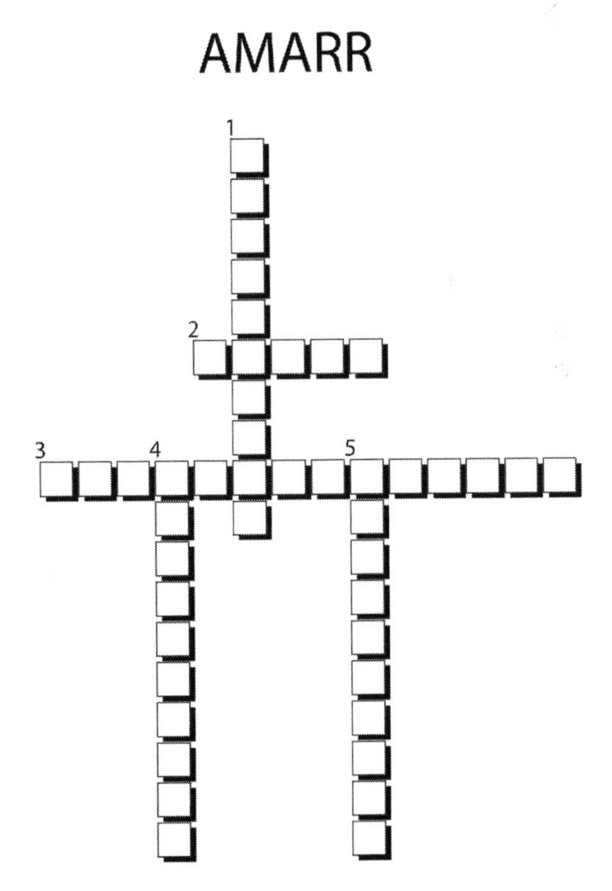

ACRÓNIMO AMARR

Los conflictos y las emociones negativas son parte de nuestra vida. Está en nosotros aprender a manejarlas para que nos impacten lo menos posible y convertirlas en algo positivo. El acrónimo **AMARR** se conforma con las iniciales de **amabilidad, meditación, agradecimiento, risas y relaciones.**

Tenemos que activar las bases de la felicidad para vivir una vida plena y sustentable.

Amabilidad: somos seres sociales y por eso tiene sentido que utilicemos las relaciones interpersonales como base para nuestra felicidad y para aprender a ser más felices. La felicidad sería como pasear en carreta, donde la carreta es la felicidad y el caballo sería como la pasión que la mueve.

Para ir cómodos en nuestra carreta, debemos empujar nuestra pasión con *kindness*, es decir, con amabilidad, aunque la frase en inglés abarca mucho más significado que la connotación en español.

Sin embargo, al ser amables nos hacemos vulnerables, pero, por otro lado, nos hacemos aptos o más propensos a recibir reciprocidad. Si soy amable, estoy dando apertura a una brecha para que las personas interactúen conmigo de forma positiva.

Si soy amable, estoy dando apertura a una brecha para que las personas interactúen conmigo de forma positiva.

Al ser amable, me debo comportar de forma compasiva, ponerme en los zapatos del otro para comprenderlo y actuar con gentileza. Difícilmente podré ser amable con las personas si no tengo compasión. La compasión puede venir de nuestras creencias religiosas, aunque en realidad es algo natural y evolutivo en la especie humana. Ser compasivo es identificarme con quien sufre.

La compasión es la empatía en acción y muy diferente a la lástima, porque no consiste en ver al otro como alguien inferior, aunque esté en condiciones lamentables y pasándola muy mal, sino más bien, entender que esa persona es nuestro igual. Así, comenzará a funcionar una bioquímica maravillosa que se activa en nuestro sistema nervioso autónomo y el nervio vago[11] y, cuando esto sucede, aparecen una cantidad de efectos positivos en nuestro estado de ánimo.

La meditación es una herramienta que nos permite liberar serotonina y dopamina.

Ser amable permite que actuemos de forma compasiva y empática con otros. Esa acción libera en nuestro organismo químicos como la dopamina y la oxitocina, hormonas que influyen en la reducción del ritmo cardíaco y generan un estado de calma, lo que permite que prestemos más atención a las personas, así nos hacemos más resistentes al dolor emocional.

Ser amables, aparte de beneficiar a otras personas, mejora nuestro estado de salud. Nuestro organismo lo siente, libera neurotransmisores que mejoran nuestro estado emocional y genera reciprocidad, porque cuando somos amables, invitamos a otros a ser amables con nosotros. Las relaciones humanas están basadas en el principio de reciprocidad. Si actuamos con bondad, amabilidad y compasión, las personas nos brindarán asistencia en el momento que más lo necesitemos.

Meditación: la podemos definir como la atención plena que llena de sutileza y amabilidad lo que sucede en nuestra mente y nuestro alrededor. La meditación permite mantenernos en el momento presente, sin divagar o rumiar entre el pasado y el futuro, y comienza con una simple respiración.

11 Teresa Silva Costa Gomes. *Fisiología del sistema nervioso autónomo*. Barcelona: Hospital del Mar Esperanza, 2012.

La meditación puede ser practicada en forma de oración por aquellos que profesan disciplinadamente alguna religión, quienes no profesan ninguna, la practican enfocando su atención en la respiración. La meditación hace que nos olvidemos de las actividades multitareas.

Tenemos que entender que meditar no es un estilo de vida que se oculta debajo de un turbante o debajo de una *kasaya* budista, mucho menos es sentarse en una alfombra mágica para tratar de volar y evadir o esconder los sentimientos; es todo lo contario. La meditación es la capacidad de hacernos mucho más hábiles para identificar los pensamientos que nos molestan y los pensamientos que nos suman, para que, cuando lleguen a nuestra puerta, tengamos la capacidad de decirles: "Pasen adelante", o rechazarlos, si son pensamientos negativos.

La meditación es una herramienta que nos permite liberar serotonina y dopamina en el torrente sanguíneo. La serotonina mejora el estado de ánimo y la dopamina reduce el nivel de estrés, porque disminuye el ritmo cardíaco para sentirnos más relajados.

La meditación permite que pasemos de una frecuencia de onda cerebral muy elevada, como la *gamma* o la *beta*, originadas al estar despiertos, a una más baja o relajada, como las ondas *alfa*, *tetha o delta.*

Esos niveles de frecuencia de las ondas cerebrales tienden a reducirse con la meditación y con la atención en la respiración.

La importancia de meditar[12] no solo está en la segregación de dopamina y serotonina, sino que además genera más telomerasa y mielina[13]. La primera, alarga la vida celular y

---

12 Tonya Jacobs y Elissa Espel. "Entrenamiento intensivo en meditación, actividad de la telomerasa de las células inmunes y mediadores psicológicos", *Psiconeuroendocrinología*, vol. 36, n.º 5. California: Sciencedirect, 2011, pp. 664-681.

13 Es una capa aislante o vaina, que se forma alrededor de los nervios, incluso los que se encuentran en el cerebro y la médula espinal. Está compuesta de proteína y sustancias grasas.

permite que cada célula pueda replicarse en ella misma, lo que retardaría el envejecimiento hasta que el telómero lo permita. La segunda, mejora los niveles de conectividad en nuestro sistema nervioso y la capacidad de procesar información a través del lóbulo frontal, lugar de nuestro cerebro en que se procesan las emociones.

Las personas que meditan consecuentemente por cierto período de tiempo, generan una mayor cantidad de telomerasa, lo que provoca una mayor extensión en las terminaciones de los telómeros, cosa que permite mayor habilidad para percibir lo que nos ocurre. Meditar hace que desarrollemos habilidades para identificar las emociones propias y las de los demás, lo que sumaría más felicidad.

Podemos hacer un ejercicio por cinco minutos, prestando atención a la respiración. Si hacemos inhalaciones profundas por dos minutos y prestamos atención a la mente y respiración, en ese instante entraremos en un proceso de meditación.

Existen muchos tipos de meditaciones y no todas las personas tienen una en particular. Podemos practicar la técnica de la respiración con atención guiada. Podemos ejecutarla en diferentes ritmos. Puede ser un ritmo 4 - 4 - 4, en donde inspiro por cuatro segundos, mantengo el aire en mis pulmones por cuatro segundos y expiro por otros cuatro segundos, la otra puede ser una respiración 4 - 2 - 2, en donde inspiro por cuatro segundos, mantengo el aire por dos segundos y expiro por dos segundos.

La idea es que comencemos a practicar una respiración consciente para entrar en meditación y disfrutar los beneficios que nos genera. Podemos hacerlo mientras caminamos

---

La vaina de mielina permite que los impulsos eléctricos se transmitan de manera rápida y eficiente a lo largo de las neuronas. Si la mielina se daña, los impulsos se vuelven más lentos, lo cual puede causar enfermedades como la esclerosis múltiple. Fuente: MedlinePlus. https://bit.ly/30BLNix

por el parque, la calle, la playa o la montaña, y mientras lo hacemos, prestemos atención y comencemos a interactuar en otra dimensión con los sonidos que están a nuestro alrededor. A través de la meditación serás capaz de discernir mejor entre pensamientos que te suman y los que te restan.

Ser agradecidos trae consigo efectos positivos para nuestro estado físico, psicológico y social.

Debemos prestar atención a esos pequeños detalles, como a la hoja que se desprendió del árbol y que sutilmente llega al suelo, el dulce trinar del ave que canta a la distancia y que lo vemos bien alto en la copa de un viejo árbol, sentir ese calorcito del sol que se remonta en el horizonte y que comienza a calentar la ciudad, y si estamos en la playa, escuchar cómo se estrella la ola en la costa, cómo en su llegada baña a los finos granos de la arena que pinta ese encuentro entre el mar y la solidez del litoral, ver cómo ese manto de espuma se retira nuevamente, para luego regresar enredado entre el nuevo oleaje.

Cuando eres capaz de fijar la atención en ese tipo de cosas, en lugar de prestarle atención a todos esos pensamientos que llegan de forma tempestuosa y acelerada a tu cabeza, entonces podrás decir que estás meditando.

Si profesas disciplinadamente una religión, puedes meditar a través de la oración, leyendo y repitiendo, cumpliendo con el dogma, el canon y los libros, desarrollando rutinas durante tu día que te permitan acercarte a tu vida espiritual, si lo deseas, con el apoyo de símbolos, como altares, figuras o incienso.

También puedes meditar siguiendo una serie de *mantras*, los repites y te haces consciente de tu respiración, puedes crear el tuyo, diciendo: "Yo soy consciente, yo soy agradecido". En la medida en que los vayas repitiendo, tu mente estará inhibida de distraerse con ese pensamiento que te aqueja; y cuando llegue ese pensamiento negativo, vuelves al *mantra:* "Yo soy consciente, yo soy agradecido".

Hay muchísimas formas de entrar en meditación. Si no eres de las personas que lo hace a través de la oración, entonces usa la meditación con el uso de la respiración consciente. Si quieres practicar otros tipos de meditación, entonces practica yoga, taichí, por nombrar algunas. Lo importante es que, si no hay atención a la respiración, no hay meditación.

La respiración consciente es el comodín a utilizar cuando vienen las cosas malas a nuestra vida. Logra que el cerebro pase de un modo de sobresaturación de actividades a un momento de relajación, de esta forma, podremos seguir tranquilamente con nuestras actividades.

Agradecimiento: es el pilar fundamental de la felicidad. Los efectos positivos son múltiples a niveles de nuestro estado bioquímico. Ser agradecidos trae consigo efectos positivos para nuestro estado físico, psicológico y social.

El agradecimiento mejora nuestro sistema inmunológico[14], mejora los niveles de emociones positivas y tiene un efecto maravilloso en nuestro organismo. Bloquea las toxinas que nos hacen vulnerables al estrés, aparte de disminuir los niveles de cortisol, la hormona encargada de mantenernos estresados.

Ser agradecido nos ayuda a liberar serotonina, lo que disminuye los niveles de ansiedad y mejora la calidad del sueño, aumentando los niveles de melatonina, hormona que se libera en mayor cantidad durante la noche, por lo que la luz y los entornos luminosos entorpecen su producción.

El agradecimiento tiene un efecto físico positivo en la reducción de la presión arterial. Practicar actos de agradecimiento a lo largo del día, nos lleva a estar conscientes de la

14 Asociación Nacional de Comunicación. “Expresar gratitud nos hace más saludables: ¿quién no estaría agradecido por eso?”. *ScienceDaily*, vol. 17, n.° 2. Maryland, 2017. https://bit.ly/3qE0A72

respiración, lo que mejora y reduce naturalmente la presión arterial a través de la liberación de dopamina y serotonina.

Los efectos positivos a nivel psicológico y social se encuentran en nuestra relación con las demás personas. Al hacernos más resistentes al estrés, adquirimos un pensamiento más creativo, promovemos la reciprocidad y reducimos el impacto que pueda tener una experiencia o una emoción negativa.

Los actos de agradecimiento que se ejecutan con cierta regularidad, someten al cerebro a un entrenamiento capaz de soportar situaciones adversas o negativas.

Hay varias formas de agradecimiento verbal. Podemos agradecer hablando con alguien, sin importar si está presente o ausente. Podemos agradecer ante una imagen religiosa, una fotografía de un familiar ya fallecido o ante una figura que nos haga sentir cómodos, como aquella escena del náufrago que hablaba con su balón, Wilson.

Para fruncir el ceño necesitamos mover cuarenta y cinco músculos del rostro, para reír necesitamos solamente diecisiete músculos de la cara.

Al agradecer verbalmente desencadenamos dos efectos positivos: el primero nos activa el pensamiento, podemos separar las acciones en un estado consciente de todo lo que recibimos durante el día; y el segundo efecto es que, al accionar, mantenemos el cerebro concentrado en ser cónsono y consistente con el hecho del agradecimiento, sin prestarle mucha atención a las cosas malas que nos puedan estar pasando.

Existe una serie de acciones mecánicas que podemos sugerir para agradecer, como escribir por tres semanas un *diario de agradecimiento*, acción que nombramos en el capítulo anterior.

Se ha comprobado que las personas que llevan un diario y escriben las razones por las cuales se sienten agradecidas, tienen un mejor día, en comparación con aquellas personas que no lo hacen.

Al final del día, sin importar si tuvimos un día terrible, lleno de tensiones, estrés o tristeza por un acontecimiento lamentable, tenemos que decirle a nuestro cerebro que es la hora de escribir la nota de agradecimiento antes de dormir. El cerebro aprenderá a acondicionarse para que, cuando llegue la hora de agradecer, dé un alto a los malos pensamientos. Entenderá que es momento de hacer un recuento de las cosas positivas, ideales para dormir, descansar y reiniciarse a través del sueño.

Risa: el ser humano, en la medida que va alcanzando la madurez, disminuye la veces que ríe. En promedio, un niño de cinco años sonríe aproximadamente trescientas veces al día, un adulto ríe solo diecisiete veces al día.

Al igual que la meditación y el agradecimiento, reír provoca una cantidad de efectos fisicoquímicos, psicológicos y emocionales en el ser humano que generan bienestar. Reír libera oxitocinas al torrente sanguíneo, lo que inhibe la producción de cortisol, hormona que causa el estrés.

Para fruncir el ceño necesitamos mover cuarenta y cinco músculos del rostro, para reír necesitamos solamente diecisiete músculos de la cara, pero esta ejecución genera muchos más beneficios para el organismo, activa otra cantidad de músculos, como los abdominales y también permite que el aire residual que queda en nuestros pulmones sea liberado.

Reír logra que los niveles de glóbulos blancos se incrementen y fortalezcan nuestro sistema inmunológico. Quienes ríen más, viven más[15] que aquellos que no lo hacen. La risa es un embellecedor natural, desacelera el envejecimiento lo que hace que te veas más joven por más tiempo.

---

15 Tara Kraft and Sarah Pressman, "Grin and Bear It! Smiling Facilitates Stress Recovery". *Psychological Science.* Massachusetts, 30/07/2012. https://bit.ly/3qE0A72.

Al igual que los otros elementos del acrónimo AMARR, cuando reímos también liberamos endorfinas y serotonina en la sangre, lo que disminuye los dolores físicos. Estas hormonas son las mismas que se generan cuando estamos sometidos a una actividad física, como trotar, correr o alguna otra actividad cardiovascular.

La serotonina es la hormona que permite que un deportista de alto rendimiento no sienta molestias al momento de practicar una disciplina, como el maratonista, que, mientras se encuentra corriendo, no siente molestias, sino minutos después de finalizar la carrera.

La risa genera diez veces más serotonina que la generada durante una actividad física. Si corro por diez minutos, mi organismo liberará la misma cantidad de este neurotransmisor que se genera en un minuto de risa. Con la risa nos hacemos resistentes al dolor, aun cuando sea forzada.

No todos los días son para reír, pero, aun así, si has tenido días malos cuando reír no es la mejor opción, tienes en tu caja de herramientas AMARR: los mecanismos de amabilidad, meditación, agradecimiento y la risa fingida. Todas te ayudarán a superar el mal momento y los pesares. Como la risa es contagiosa, es el mejor mecanismo para ayudar a otros. Puedes ver videos de personas o de bebés que ríen a carcajadas, será inevitable reír.

La risa es una herramienta que podemos usar de comodín y funciona de manera maravillosa. Reír es bueno y es gratis. Logra que nuestros días puedan ser mucho mejores. Como nota importante, es recomendable establecer un mecanismo para reír a diario.

Al igual que la meditación diaria en la mañana o escribir en nuestro diario de agradecimiento al final del día, debemos practicarla. Hay varias opciones para hacerlo. La primera, podemos hacerla al identificar una señal para reírnos al principio de nuestro día. Esa señal puede ser al cepillarnos los dientes frente al espejo. Como tenemos que abrir la boca y mostrar los dientes, entonces sonriamos frente al espejo mientras cumplimos con nuestra higiene bucal.

Recordemos que, aunque la risa sea fingida, igualmente libera neurotransmisores, como la serotonina y endorfina al torrente sanguíneo. La segunda opción es que, si hay una mascota en casa, antes de llevarla a pasear, riamos frente a ella. Aparte de demostrarle amor, la mascota lo agradecerá al igual que nuestro organismo por todos esos cambios bioquímicos que se activan al sonreír.

Hay que procurar reír en situaciones de concentración o de otra actividad. Si vamos manejando o en el transporte público y escuchamos música, entre las canciones, insertemos un par de chistes que nos hagan reír un poco, luego sigamos escuchando las demás canciones. Si estamos estudiando para un examen, sería bueno leer un par de chistes y luego continuar estudiando. Son ideas que sugiero para *hackear* nuestro cerebro y tomar el hábito de reír a diario, así llevaremos una vida mucho más feliz y sustentable.

Relaciones: los seres humanos por naturaleza somos sociables y el tema de las relaciones ha sido fundamental para el éxito de nuestra especie. La Universidad de Harvard ha llevado a cabo el estudio más largo sobre el desarrollo de los adultos, el cual inició en 1938[16] y hasta ahora la investigación tiene algo muy en claro: "Las buenas relaciones nos hacen más felices y más saludables". De nada sirve todo lo que hemos hecho antes si no logramos relacionarnos, de nada sirve relacionarnos si no somos capaces de identificar las emociones de los demás.

16 Alejandra Martins "¿Qué nos hace realmente felices en la vida? Algunas lecciones de un profesor de Harvard tras años buscando respuestas", *BBC Mundo.* Reino Unido: 23/11/2016. https://bbc.in/30EkqVc

Este *emosistema* busca mostrarnos la importancia de las emociones, de la mano de las relaciones, que al final convergerán en la zona amarilla de mi cuadro de emociones.

Similar al cubo de Rubik, nuestro *emosistema* está compuesto por las caras roja, azul, amarilla y verde, con la diferencia del cubo, que las otras dos caras no tienen color, pero sí los acrónimos RIE (R) y AMARR, y que cada vez que juguemos con ese cubo de manera inteligente, cada vez que identifiquemos con sabiduría nuestras emociones y las de otros, al final, armaremos nuestro cubo para que muestre la cara amarilla, la plena felicidad.

Sería la misma alegoría de movernos de un cuadrante a otro en nuestro cuadro de colores, pero esta vez identificando las emociones y jugando con los acrónimos para armar la cara amarilla de nuestro *rubik* emocional, de manera consciente y con práctica, porque si no hay actitud, no hay nada.

Nuevamente, cada elemento de nuestro acrónimo AMARR demuestra la parte fisiológica desarrollada en la búsqueda de nuestra felicidad. Todos estos neurotransmisores son liberados con cada una de las actividades que componen al acrónimo AMARR y sus efectos son químicos, físicos, emocionales y sociales.

Hablar de relaciones es estar en contacto con terceros. El progreso de la humanidad está hecho gracias al desarrollo de nuestras relaciones como especie. Desde principios de nuestra historia evolutiva, la necesidad de andar en pareja siempre ha sido prioridad. En un primer momento, la necesidad de estar en grupos era para la defensa, la caza y la reproducción para perpetuar la especie.

En la medida en que fuimos evolucionando, nos dimos cuenta de que si hacíamos congregaciones o nos reuníamos en base a una idea o una emoción, se generaban movimientos mayores. Los primeros fueron los avances en nuestra comunicación a través del lenguaje. Después las civilizaciones fueron desarrollándose gracias a la unificación de ideas, emociones y a una forma de ver el mundo, y así, la humanidad se fue expandiendo *aguas abajo* y cada individuo mantenía un comportamiento que no estuviera en contra de los acuerdos alcanzados en esa sociedad.

Aunque parezca que tiene poca importancia, ha sido trascendental. Hoy nos relacionamos basados en ciertas premisas que fueron inculcadas y que no vienen con nosotros.

Lo que viene innato en nosotros es la necesidad de relacionarnos con otras personas para hacer los que nos toque hacer: una familia, trabajar, construir un edificio, llevar a cabo una revolución social, etc. Lo que no viene con nosotros es cómo lo visualizamos y cómo lo pensamos llevar a cabo.

Las relaciones humanas nos ayudan a crecer como individuos.

Al nacer, no podemos hablar y nuestras relaciones se llevan a cabo a través de señas, expresiones corporales, el llanto, la ira o la risa y el balbuceo, métodos utilizados para llamar la atención. Resulta ser que todo lo que hacemos instintivamente como especie, lo debemos practicar con mayor ahínco cada día.

Es importante mantener una bioquímica saludable, y generar acciones que liberen neurotransmisores como la oxitocina, que promueve la confianza, la atención y la amabilidad, esto ayuda a promover más relaciones personales. Entre más sociables seamos, mayor será el caldo de cultivo para relacionarnos mejor.

Con la dopamina nos sentimos más seguros. Dar un abrazo o recibirlo genera dopamina y nuestros niveles de seguridad se incrementan.

Otras de las ventajas que nos aportan las relaciones es el desarrollo del efecto espejo a través de nuestro sistema nervioso. Yo puedo aprender viendo e imitando. Así lo hacen nuestros hijos y así lo hicimos nosotros en nuestra infancia, aunque igual lo podemos hacer de adultos.

Las relaciones humanas nos ayudan a crecer como individuos. Puedo luchar para llegar a ser el mejor en el deporte que practico o ser el mejor en mi área laboral, pero también hay que entender que tenemos que hacer un aporte a nuestra sociedad y ser recíprocos con ella. Hay que dar un abrazo a las personas que nos rodean, motivar a las personas a través del contacto físico respetuoso y ayudar a otros a liberar los neurotransmisores responsables del caldo de cultivo de la felicidad. Así, desarrollaremos mucho mejor los propósitos de vida, nos sentiremos plenos y retribuidos.

Ser feliz no es ser mejor que el otro o tener la razón, ser feliz es cumplir el rol para que otros se beneficien lo máximo posible.

La felicidad sustentable está en poder aplicar las habilidades de amabilidad, meditación, agradecimiento, risas y relaciones en conjunto con el reconocer, identificar y expresar nuestras emociones. Es de está manera como rompemos el paradigma de la felicidad como emoción y pasamos a la felicidad como actitud, como una acción que nos permite movernos de cualquier punto en nuestro mapa de emociones (aun cuando sean rojos o azules) y avanzar a los lugares donde nos sentimos repletos de gozo, placer, en *flow*.

Uno de los pilares de la felicidad descrito en el acrónimo AMARR son las relaciones.

V

Ser Feliz más allá del acrónimo AMARR

NO TE PREGUNTES QUÉ NECESITA EL MUNDO, PREGÚNTATE QUÉ TE HACE VIVIR. Y LUEGO VE Y HAZ ESO. PORQUE LO QUE EL MUNDO NECESITA SON PERSONAS QUE HAYAN COBRADO VIDA.

Tal Ben-Shahar

LA TAREA MÁS URGENTE E IMPORTANTE ES CONOCERTE A TI MISMO.

– Giancarlo Molero –

Para alcanzar la felicidad sustentable debemos tener en cuenta que necesitamos otras herramientas que fortalezcan al acrónimo AMARR. Debemos ser capaces de practicar y fomentar algunas habilidades adicionales. La felicidad a veces parece algo compleja de alcanzar, pero realmente es sencillo hacerlo, solamente debemos practicar un conjunto de disciplinas y utilizar las herramientas de amabilidad, meditación, agradecimiento, risas y las relaciones.

HERRAMIENTAS ADICIONALES DEL ACRÓNIMO AMARR

El perdón

¿Qué tenemos que hacer para blindar y sellar nuestra felicidad sustentable? La ciencia nos indica que hay una serie de factores que contribuyen a mejorar nuestro estado de ánimo y uno de ellos es el perdón.

El perdón, desde mi perspectiva, es un cambio que realizamos en la manera de contar nuestra historia, cuando reflejamos ante el mundo lo afligidos, dolidos o muy molestos que podemos estar, debido a nuestra interpretación o vivencia de un acontecimiento que nos ha afectado negativamente.

> La felicidad a veces parece algo compleja de alcanzar, pero realmente es sencillo hacerlo.

Para poder perdonar tenemos que hacer un cambio de perspectiva. Ese dolor, aflicción o molestia que nos perturba, podemos suprimirlo si le damos una nueva valoración, un cambio de punto de vista. No será una tarea fácil, de hecho, puede amargarnos en algún momento, pero llegará el día en que debamos perdonar y es nuestra decisión saber en qué nos queremos enfocar.

De primera mano, estamos programados para ver lo malo, así que enfocarnos para ver lo bueno, en un escenario que tuvo cierto tiempo causándonos daño, no será tarea fácil.

Aprender a pedir perdón y a perdonar, será la única manera de liberarnos de esa carga. Es necesario hacerlo, sumará en nuestras vidas y, por supuesto, en la vida de aquel o de aquellos que pudieron afectarnos.

Lo primero que debemos hacer es expresar una disculpa sincera, un lo siento» real, desde nuestro verdadero sentir. Debemos hacerlo, lamentando realmente lo que ocurrió, reconociendo aquello que hicimos mal, que, aunque no haya sido algo malo para nosotros, pudo haber sido malo para otros. Luego, asumir el compromiso en no volver a repetirlo y preguntarnos: ¿qué debemos hacer para que el daño causado se revierta o duela menos?

Al cumplir estos pasos en nuestra petición de perdón, suceden varias modificaciones en la persona ante la cual nos disculpamos y también suceden cambios en nosotros. Al decirle al otro "lo siento", nos ponemos en sus zapatos y nos volvemos más empáticos. Reconocer que lo hicimos mal, es dar un alto a nuestras malas acciones, que muchas veces son hechas inconscientemente, otras, realizadas con premeditación, alevosía y ventaja.

Si tenemos consciencia de nuestras acciones, desde la más simple, como esas cosas que hacemos en el hogar, que incomodan a la familia, como usar el baño y dejarlo mojado, o no levantar el aro de la poceta antes de orinar, por nombrar un ejemplo, son cosas que sabemos que pueden incomodar a la pareja, entonces, hay que procurar cambiar esas malas costumbres para que haya armonía entre todos los integrantes del hogar.

Influir en la vida de otras personas es mucho más sencillo. Lo podemos hacer a través de nuestras acciones. Hay cosas que hacemos que pueden ser muy notorias, como ser agradecidos por todo lo que recibimos. Cuando lo expresamos, nuestra actitud ante la vida y ante los problemas cambia en positivo, permitiendo que abordemos los problemas de forma puntual.

Debemos perdonar y buscar el perdón, sin tener una actitud prepotente y orgullosa, con la creencia de que solo nosotros tenemos la razón y el merecimiento del perdón. Si abrimos la puerta del agradecimiento y de la amabilidad para que me perdone la persona que alguna vez le causé un dolor o molestia, esa persona estará mucho más dispuesta a hacerlo.

El camino a seguir es decir "lo siento", con la mayor franqueza y la absoluta verdad, aceptar lo que hicimos mal y que estamos realmente arrepentidos, comprometidos en no volver a hacerlo y, de ser posible, resarcir el daño causado.

Perdonar no significa olvidar, está muy lejos de serlo. El hecho de recordar cosas que nos hicieron daño debe servir para mejorar, para no repetir acciones que lastimen a otros, o para protegernos ante acontecimientos similares. El perdón consiste en sanar y librarse del lastre que cargamos encima, de la carga que llevamos producto del remordimiento, del odio, del dolor y de la tristeza que nos han infringido o que hemos causado.

El perdón consiste en sanar y librarse del lastre que cargamos encima, de la carga que llevamos producto del remordimiento, del odio, del dolor y de la tristeza.

Perdonar no significa *borrón y cuenta nueva.* Podemos perdonar la traición de nuestra pareja, pero eso no significa tener que continuar a su lado. Perdonar es liberarse de un lastre muy pesado y brindarle la oportunidad al otro de que también se libere de su carga. Una vez que ambos se sientan con el alma y la conciencia ligeras, las decisiones a tomar son mucho más sencillas, es más fácil alinear un vagón vacío a la locomotora de un tren, que hacerlo con un vagón extrapesado en su carga.

LA VIDA ES PARA CELEBRARLA Y COMO EL FANÁTICO, QUE CELEBRA CUALQUIER ACTO DE ANOTACIÓN QUE HAGA EL EQUIPO, DEBEMOS ESTAR ATENTOS PARA SER FELICES.

El propósito

El propósito es una acción, un objetivo o una meta, es la oportunidad que tenemos de sumar en la vida de otros, mientras somos felices, mientras nos divertimos y celebramos la vida, así, estaríamos cumpliendo con nuestro destino.

¿Por qué es tan importante el propósito para la felicidad? porque tiene dos componentes: el de la emoción inicial, que es la pasión y el fuego que enciende la fogata, y la madera, que es esa consistencia, disciplina, las ganas y las energías. Si esos componentes se unen, arderá una fogata con intensidad. Su fuego dependerá de la calidad de sus componentes.

Si la pasión es poca, la madera no arderá, ni siquiera calentará, pero si la pasión es mucha y las energías, la disciplina y la consistencia son pocas, el fuego solo arderá unos minutos.

El propósito tiene como fin que ese fuego arda y caliente a otros, que les dé luz y que, mientras arda, también podamos disfrutar de su calor y de ver a otros acercarse a él. El propósito está en el porqué hacemos lo que hacemos.

El propósito tiene como fin que ese fuego arda y caliente a otros, que les dé luz y que, mientras arda, también podamos disfrutar de su calor y de ver a otros acercarse a él.

También está estrechamente ligado a las emociones y, en consecuencia, a los acrónimos RIE (R) y AMARR. Nada está por separado, todo se conecta. Todo forma parte de diferentes ecosistemas: el ecosistema de las emociones, el ecosistema de las habilidades relacionadas con la felicidad y el ecosistema de las acciones de soporte. Este último conformado por aprender a perdonar, donde debes liberarte de lastres que no te permiten ni permiten a otros avanzar, así como a definir cuál es tu propósito, porque una vez definido, puedes alinear cada una de tus acciones diarias para ir sumando felicidad, de cara al bien que puedas causar en otros.

Al hacer comunidades que sigan un mismo propósito, todos contribuyen a un mismo fin, sin la intención del beneficio particular, sino más bien siempre pensando en el beneficio colectivo, todos enfocados en beneficiar a alguien, pensando en por qué y para qué lo hacemos y no en cómo lo estamos haciendo y qué beneficios obtenemos de ello.

La tecnología

Vivimos en una era en que la tecnología nos abruma. Desde que nos levantamos hasta que vamos a la cama, la tecnología está presente en nuestras vidas. Una casa confortable para nuestra protección y descanso, una cantidad de equipos y materiales que hacen posible nuestro día laboral, es una muestra fehaciente de la presencia de ella. Estar expuestos a la tecnología significa comprender su uso, para que sume a nuestra felicidad.

Estudios revelan que el uso de la tecnología, en especial, el uso de las redes sociales[17], afecta los niveles de ansiedad y depresión en los jóvenes. También hay estudios que demuestran que la luz artificial y el uso prolongado de los dispositivos de pantalla, alteran el patrón del sueño y es nociva para la salud[18].

En este apartado quiero hacer una recomendación y hacer un breve compendio del uso de la tecnología a favor de nuestro bienestar.

17 Manuel Varchetta, Angelo Fraschetti, Emmanuela Mari y Anna Giannini. "Adicción a redes sociales, miedo a perderse experiencias (FOMO) y vulnerabilidad en línea en estudiantes universitarios". *Revista Digital de Investigación en Docencia Universitaria*, vol 14, n.° 1. Perú: 2020. https://bit.ly/3eyzo71

18 Richard G. Stevens and Yong Zhu. "Electric light, particularly at night, disrupts human circadian rhythmicity: is that a problem?" *Philosophical Transactions of the Royal Society of London*, vol. 237, n.° 1.667. https://bit.ly/3l9Oe5m

Se trata de una serie de ejercicios útiles, que darán un balance a la presencia de la tecnología y que mejorará el impacto que tiene sobre nosotros. No se trata de eliminarla ni de convertirnos en *amish*, mucho menos de internarnos en la selva amazónica. Vivimos inmersos en ella y no hay manera de evitarla, hay que usarla en pro de nuestra felicidad.

¿Cómo podemos utilizar la tecnología a favor de nuestra felicidad? Un ejemplo sería adoptar una correcta postura ante el uso del celular. Antes, debemos comenzar con la adopción de un porte ergonómico que nos permita usar el teléfono móvil sin que cause daño en nuestra cervical. La mayoría de las personas tiende a inclinar la cabeza hacia abajo para manipular el teléfono móvil. Esa postura causa una gran tensión, seis veces mayor a la causada cuando estás erguido, lo que causa el síndrome del cuello roto.

La prevalencia de quejas musculoesqueléticas, en especial, las molestias de cuello tienen las tasas de prevalencia más altas, que van del 17,3 % al 67,8 %[19] entre los usuarios de dispositivos móviles, así lo indica un estudio realizado por la Universidad Politécnica de Hong Kong.

En vez de tener una inclinación de casi noventa grados para leer y escribir en el dispositivo móvil, lo ideal sería levantarlo hasta dejarlo a nivel del rostro, así tendríamos el cuello mucho más recto, haríamos menos esfuerzo para su manipulación y estaríamos sometidos a sentir el peso del dispositivo, lo que causaría mayor consciencia de su uso prolongado y de lo perjudicial que puede ser para nuestra salud.

Otra de las cosas que podemos hacer para evitar el uso excesivo del *smartphone*, es tomar una pausa de su uso al

19 Xie Yanfei, Szeto Grace and Dai Jie, "Prevalence and Risk Factors Associated with Musculoskeletal Complaints among Users of Mobile Handheld Devices: A Systematic Review". *Applied Ergonomics Volume 59, Part A.* Hong Kong, March 2017, pages 132-142. https://bit.ly/3eyOREi

menos 20 minutos durante el día. Lo podemos apagar o dejarlo en «modo avión» para evitar notificaciones y una excusa que nos impulse a tomar el teléfono.

Ese tiempo de descanso lo podemos invertir en una caminata al aire libre y disfrutar un poco nuestro entorno de la vida real. Lo que sucede en nuestro mundo real marcha a un ritmo totalmente opuesto al mundo digital.

Lo que vemos a través de una pantalla electrónica va mucho más rápido que nuestra vida real. Nuestro cerebro se satura con tanta información y su procesamiento causa una especie de sobrecalentamiento o atención muy dispuesta. Ocurre con mayor frecuencia en las horas nocturnas, antes de irnos a dormir, lo que interrumpe y perjudica nuestro ciclo del sueño[20], inhibiendo la secreción de melatonina, la hormona que interviene en el ciclo natural del sueño. Si estamos expuestos a la luz de la pantalla del teléfono, la tableta o el televisor, el cerebro químicamente entenderá que todavía es de día y dejará de producir melatonina, lo que causará insomnio en nosotros.

Otro aspecto fundamental a tomar en cuenta en la relación entre la tecnología y el usuario, es que debemos entender que somos seres sociales. Si estamos con otras personas, tenemos que entender que el interés debe estar enfocado en ellos y no en el *smartphone.* Lamentablemente, se está haciendo común ver el escenario de los integrantes de una familia, reunidos alrededor de una mesa, y cada quien inmerso en su celular.

Uno de los pilares de la felicidad descrito en el acrónimo AMARR son las relaciones. Estar reunidos alrededor de una mesa, pero sin ningún tipo de interacción, no suma

20 Brittany Wood, "La tecnología nos causa insomnio". *BBC Mundo Tecnología.* Londres, 01/09/2012. https://bbc.in/3rIOzhI

a nuestra felicidad, al contario, obligamos al otro a que nos ignore, en respuesta a nuestro comportamiento individualista.

La tecnología, en este caso, hackea nuestro cerebro, impidiendo que mostremos interés por los presentes, enfocando todo el interés por el mundo digital, las *reels* o las *stories* indefinidas de Instagram, los videos de TikTok, entre otros.

Si somos conscientes del uso que le damos a la tecnología, del tiempo en que estamos expuestos a ella, de la forma y del contenido que estamos consumiendo a través de su uso, será fácil entender que no es el mejor medio para relacionarnos con otras personas. Sí, en muchos casos, sobre todo en estos tiempos del mundo globalizado, la tecnología nos puede acercar a personas muy distantes entre fronteras, pero jamás sustituirá la sensación adquirida cuando estamos cerca físicamente de esas personas muy queridas y amadas por nosotros.

La idea es que reduzcamos los efectos negativos que hay detrás del uso desmedido de la tecnología e incrementar sus efectos positivos con un uso consciente de ella.

Hay algo terrible con la tecnología y es la promoción del *multitasking*. Hay quienes se la pasan pegados al teléfono, pero cuando alguien les habla, sin voltear la mirada, dicen que están prestando atención. Igualmente lo hace el individuo que está en el trabajo, pegado al computador, quien dice que está concentrado en su tarea, pero pierde tiempo valioso buscando videos o música en línea.

La figura del *multitasking* va en contra de la productividad, de la creatividad y de la disposición a sacarle el mayor provecho a ese momento presente que estamos viviendo.

Otra de las prácticas que podemos adoptar en función del uso correcto de la tecnología, es la reducción de las notificaciones o la reducción del levantamiento del teléfono, sin que exista una petición señalada por el dispositivo móvil.

Podemos configurar las notificaciones de las aplicaciones del teléfono, dejando activas las que realmente son importantes, como las llamadas, los mensajes multimedia o de texto, salvo algunas redes sociales que están estrechamente ligadas a nuestro trabajo o profesión.

Está comprobado que se pierde o disminuye un gran porcentaje de atención al atender una notificación del teléfono. La Universidad de Virginia, de la mano del Dr. Kostadin Kushlev, ha descubierto que el uso de los *smartphones,* desde que ingresaron al mercado de consumo en 2007, ha generado una mayor pérdida de atención en jóvenes y adultos, provocando un incremento del Trastorno por Déficit de Atención con Hiperactividad o TDAH[21], por sus siglas en inglés.

Por otro lado, hay estudios que hablan sobre las continuas interrupciones de atención que han provocado los dispositivos móviles. Nuestro cerebro se ha ido adaptando para reducir el tiempo de atención a ciertas cosas. Para el 2008, el *stand* de atención para las personas, era de 9 segundos en promedio, hoy, se ha reducido en 4,6 segundos.

El efecto en los jóvenes es terrible. El tiempo que invierten consumiendo contenido multimedia en las diferentes redes sociales, apunta al consumo adictivo de este tipo de contenido, corriendo el riesgo de que muchos de ellos terminen medicados por adicción al uso desmedido del contenido *online*. La verdadera solución está en el uso consciente de los terminales móviles y la reducción de tiempo de exposición en estas plataformas digitales.

---

21 Kostadin Kushlev, "¿Los teléfonos inteligentes nos están dando síntomas de TDAH?". *Daily Mail.* Londres, 10/05/2016. https://bit.ly/3lc98AF

La música

La música es algo maravilloso y es sinónimo de felicidad. Seguramente a más de uno *se le ha puesto la carne de gallina* al escuchar música, seguro que muchos se han conmovido al recordar un concierto en vivo de su artista predilecto o de su banda de *rock* favorita. Cuando cantamos en la ducha o en el carro, sentimos algo especial, sin importar si cantamos bien o no.

Igual pasa al bailar. Si estamos sentados, parados o corriendo y escuchamos la canción que nos sacude, de inmediato nuestro cuerpo reacciona ante ella y nos grita que estamos vivos, que bailar es algo que te llena.

Escuchar música es brindarle una oportunidad al cerebro de sentirse mejor.

Esa sincronización de sonidos de instrumentos, que llamamos música, tiene efectos diversos en nuestro organismo y muchos están relacionados con los pilares de la felicidad, porque generan químicos, reacciones y emociones en nuestro ser, que son únicas.

Hay un grupo de personas que nunca ha experimentado la música, que no la han visto como algo beneficioso, y hay otro grupo que considera que la música es ideal para ciertos momentos de su vida, para los momentos en que se sienten alegres, como una fiesta, del resto, no es necesaria la música.

Nuestra visión, en cambio, es promover la música para todos los momentos de nuestra vida. La música, al igual que los pilares de la felicidad que nombramos en el capítulo anterior, hace que nuestro cerebro genere dopamina, químico neurotransmisor responsable de incrementar nuestra disposición a sentir emociones positivas, a explorar, a tratar de cambiar nuestro estado de ánimo.

Escuchar música es brindarle una oportunidad al cerebro de sentirse mejor, genera efectos químicos y físicos similares al momento de disfrutar de nuestro alimento favorito o al de tener relaciones sexuales. Nos permite estar más activos y contrarrestar el envejecimiento, ayuda a mejorar la memoria de corto plazo.

La música con tempo de más de 120 bpm[22] (*beat per minute*) es perfecta para ayudarnos a generar endorfinas cuando estamos haciendo ejercicios. Toda esta práctica de ejercicios en bicicleta, los *bootcamps* o cualquier actividad aeróbica de ritmo acelerado, por lo general, utiliza la música para ambientar y mantener el ritmo, acompasada a los movimientos y a la respiración de quien practica tal actividad, con el fin de mantener un mejor desempeño en el ejercicio.

Las endorfinas están diseñadas para aliviar el estrés y aumentar el placer. Entre más endorfinas hay en nuestro torrente sanguíneo, mayor placer y mayor euforia podemos sentir.

Mantener un ritmo de treinta minutos de pedaleo en una bicicleta, a un ritmo acelerado, lo podemos lograr fácilmente con la música. Hacerlo sin ella, acondicionar a nuestro cerebro a mantener ese ritmo sin un compás musical, es mucho más difícil de alcanzar.

Así como la música nos puede llevar a esos estados de euforia, también nos puede llevar a un apaciguamiento y calma. En el capítulo anterior hablamos sobre la práctica de la meditación y la respiración activa, así como de la capacidad que tiene para controlar nuestro ritmo cardíaco y generarnos paz, gracias a la liberación de serotonina, la hormona que contrarresta al cortisol, la hormona del estrés.

---

22 El bpm sirve para establecer la duración o velocidad de las figuras musicales con exactitud. Se define la duración del sonido y cuántas de estas figuras (negras) podemos encontrar en un minuto. En una investigación previa respecto a la preferencia del tiempo (Moelants, 2002), se determinó que había una preferencia del tempo entre 120 a 125 bpm. Esta era significativamente más rápida que los 100 bpms encontrados en el estudio de Fraisse (1982).
Fuente: https://bit.ly/38zXNW9

La música clásica también nos lleva a ese nivel de relajación, similar al alcanzado por la meditación. El efecto Mozart, según algunos estudios científicos no concluyentes hasta ahora, indican que escuchar música clásica, en especial la compuesta por el austríaco Wolfang Amadeus Mozart, propicia el desarrollo cognitivo de los niños.

El primero en realizar este estudio fue el otorrinolaringólogo e investigador francés Alfred A. Tomatis[23], quien publicó el libro *Pourquoi Mozart*, basado en su "Método Tomatis". Se trata de un procedimiento terapéutico que utiliza música clásica durante las sesiones de terapia con los pacientes, basándose en la idea de que la obra de Mozart puede incluso curar casos de depresión.

En 1993, la psicóloga Francesa Rauscher, de la Universidad de California, describió en el artículo "Music and Spatial Task Performance", publicado en la revista *Nature*, los efectos positivos en pruebas de razonamiento espacio-temporal, observados en treinta y seis estudiantes que escucharon durante diez minutos la sonata para dos pianos en re mayor, KV 448/375a (incluida en el catálogo Köchel). Mientras un grupo de ellos escuchaba la citada obra de Mozart, un segundo grupo escuchaba instrucciones de relajación, diseñadas para reducir la presión arterial y un tercer grupo permaneció en silencio.

Los investigadores encontraron que los alumnos que habían escuchado a Mozart obtuvieron puntuaciones más altas que los alumnos de los demás grupos.

Para algunos investigadores, los tonos generados en la música clásica reducen las frecuencias cerebrales, al igual que lo hace la meditación.

---

23 Luis Otero, "¿Qué es el efecto Mozart?". *Muy Interesante*. España, s/f de publicación. https://cutt.ly/EzI71VB

Sin duda, la música es una herramienta para sumar bienestar, sensación de alegría y felicidad. Escuchar música puede acelerarnos o relajarnos, dependiendo del ritmo y compás utilizado en su reproducción. Si queremos segregar endorfinas y dopaminas para estar activos y dispuestos a realizar una actividad física acelerada, lo ideal es escuchar música de más de 120 bpm, mientras que, si queremos relajarnos, debemos escuchar música que estimule la segregación de serotonina, para alcanzar nuestro estado de paz y tranquilidad.

La actividad deportiva

La actividad deportiva incrementa la producción de endorfinas, lo que causa un incremento en el ritmo cardíaco. Hacer ejercicios te lleva rápidamente a ese estado de felicidad, al igual que lo hacen las victorias conseguidas por tu equipo favorito. Practicar una disciplina deportiva, seguir y celebrar las victorias de tu atleta favorito, tu equipo o tu selección nacional, suma a tu felicidad.

Los efectos de aupar a tu equipo favorito, químicamente son los mismos que segrega nuestro organismo al practicar un deporte. Ser aficionado a un equipo te hace pertenecer a una comunidad. En Venezuela, por ejemplo, todos somos fanáticos de la Vinotinto, sin importar nuestra religión, idealismo político, estatus social o color de piel, lo que importa es que todos apoyemos a la selección nacional.

En el caso del béisbol es igual, nos encontramos con la fanaticada de los Leones del Caracas, Navegantes del Magallanes, Tiburones de La Guaira, Tigres de Aragua, entre otros, que generan una emoción sin igual al encontrarse en el estadio y animar a sus jugadores, dejando a un lado cualquier tipo de diferencia. Lo único que importa es que cada fanático tome la responsabilidad de defender los colores que representan e identifican al equipo, aparte de animarlo y apoyarlo.

Esa actitud solo la genera el deporte y muchas veces esta emoción traspasa fronteras. Hay millones de fanáticos de equipos de las ligas de fútbol europeas regados por todo el mundo, como los fanáticos de equipos como el Real Madrid, el Barça, la Juventus, el Manchester United, por nombrar algunos.

Antes de iniciar el partido, nosotros como fanáticos nos preparamos y nos alimentamos de esa energía positiva, tan parecida, como la que viven los jugadores que salen al campo de juego. Durante el partido, puedo estar interactuando con otros contrincantes o aliados, mientras el partido es transmitido por televisión, internet o la radio. Aupamos e interactuamos con otros aliados o contrincantes y armamos una algarabía única mientras se desarrolla el partido.

Si estoy en el estadio, la energía que se siente y la interactividad que se desarrolla es única. Es una emoción indescriptible, que se manifiesta en conjunto con otros, con amigos o desconocidos y se siente tan bien hacerlo, que no importa quién sea, mientras apoye al mismo equipo que el nuestro.

La diferencia que existe entre animar al equipo en vivo, en el estadio o solo en casa es gigantesca. Cuando aupamos al equipo en el estadio nos sentimos parte viva de una comunidad, de un sentimiento y pertenecemos a un algo que va más allá de nosotros. Los abrazos en las tribunas, cuando nuestro equipo va ganando, en el caso del béisbol, cuando el jugador de nuestro equipo batea un jonrón o anota una carrera para darle la ventaja al equipo, nos impulsa a abrazar al que tenemos al lado y darle ese *high five* al desconocido.

El deporte invita a hacer cosas y a asumir un comportamiento que no lo hace ninguna otra actividad. El orgullo, el propósito de usar una camiseta, te lleva a un estado de emoción único, que de inmediato te transporta a la zona amarilla de nuestro cuadro de emociones.

Si al equipo le va bien, estamos en la zona amarilla, pero si le va mal, pasamos a la zona azul o a la zona roja, pero con la diferencia de que tenemos la experiencia y el soporte del grupo, que te permiten expresarte con libertad, sin *tapujos*, sin señalamientos sociales, a diferencia del que está solo en casa.

La vida es para celebrarla y como el fanático, que celebra cualquier acto de anotación que haga el equipo, debemos estar atentos para ser felices.

En una condición de fanático, solo somos fanáticos. No importa nuestra religión, condición social, ideal político ni otra diferencia, lo importante es crear una atmósfera de hermandad. Todas las resistencias sociales que puedan existir desaparecen, lo que permite que vivamos la vida de una manera maravillosa, con libertad, sin complicaciones y sin estrés.

Si viviéramos la vida como la viven los fanáticos de un deporte, sin importar cuántas veces pierda el equipo, estaríamos siempre felices. La fanaticada solo demuestra que las esperanzas se mantienen intactas, demuestra que sí se puede ganar y esa es la actitud que debe tener el que quiere ser feliz y el que es resiliente.

La vida es para celebrarla y como el fanático, que celebra cualquier acto de anotación que haga el equipo, debemos estar atentos para ser felices. Jugar y ver jugar nuestro deporte favorito nos hace felices de una manera particular, alimenta nuestra autoestima. Nos permite hablar sin filtros entre los miembros que formamos parte de esa comunidad que llamamos fanaticada, y cuando se es fanático de un deporte, sin importar si alguna vez lo practicaste o no, comienzas a conocer sobre el tema, te vuelves un investigador, tienes la necesidad de aprender y poner atención a los detalles.

No hay nada más bonito que ver un juego y poner atención meticulosa. Saber por qué el árbitro o mánager hizo una seña en particular, por qué el jugador hizo una jugada especial, por qué cometió la falta, en fin, entender ese tipo de eventos, hace que tu cerebro esté completamente enfocado en lo que pasa en ese instante.

Cuando estás en el estadio, apoyando de cuerpo y alma a tu equipo, recibes una llamada y de casualidad se te ocurre atenderla, y tu equipo anota el gol de la victoria y te lo pierdes, sientes que te recorre una sensación de estupidez que no se te quita nunca. Te pierdes del momento, del instante, por distraerte en cosas ajenas al partido.

Así que vive la vida como un fanático, enfocado en el presente para no perderte de los detalles y vive la vida siguiendo los pilares de AMARR, así, tendrás una vida realmente plena, llena de felicidad sustentable.

Si vas a jugar algún juego en tu vida, procura tomar el control y utilizar las herramientas que aquí te damos para sumar felicidad a tu favor.

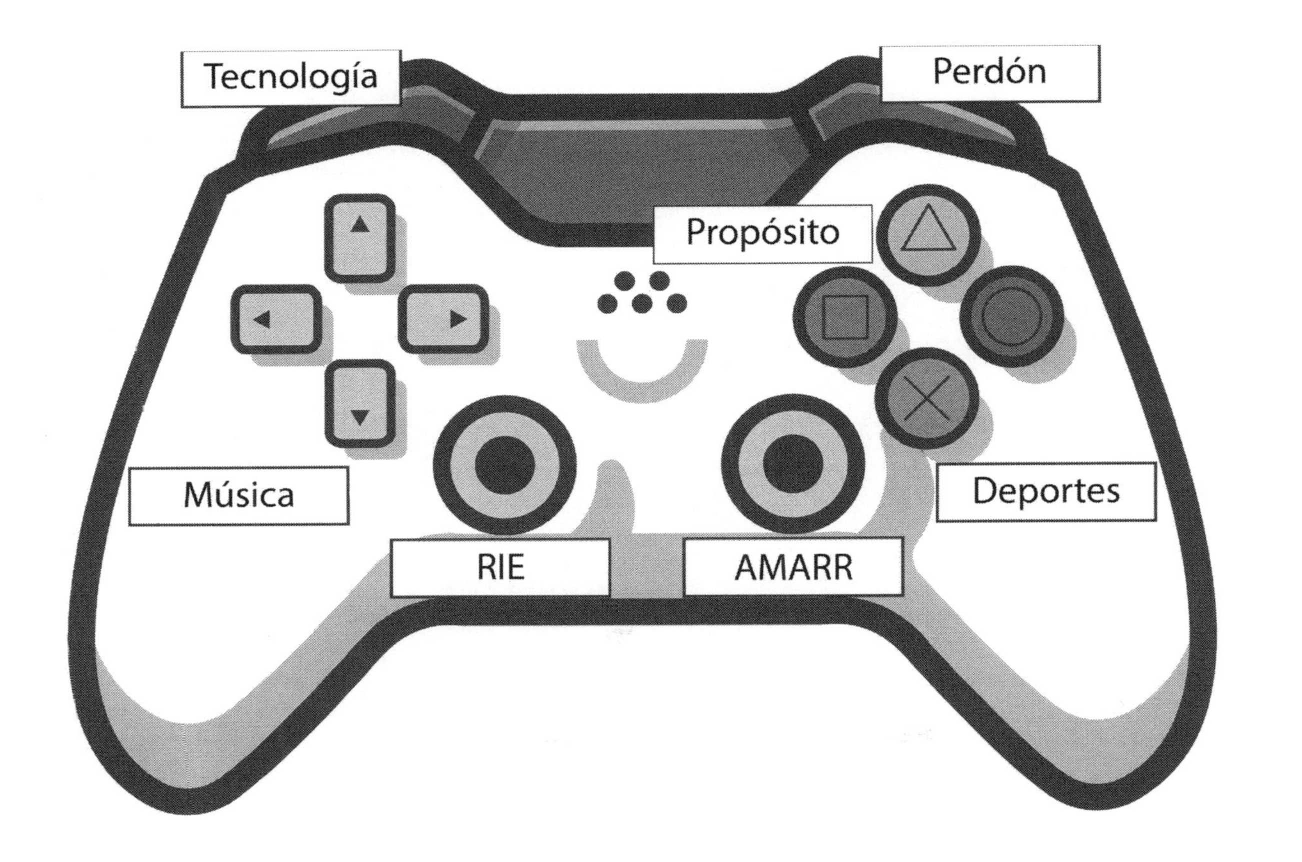
Tecnología
Perdón
Propósito
Música
Deportes
RIE
AMARR

Ejercicios diarios para sumar felicidad »a tu« Vida

HE LLEGADO A COMPRENDER QUE, AUNQUE ALGUNAS PERSONAS SON NATURALMENTE MÁS FELICES QUE OTRAS, SU FELICIDAD SIGUE SIENDO VULNERABLE E INCOMPLETA, Y QUE LOGRAR UNA FELICIDAD DURADERA COMO FORMA DE SER, ES UNA HABILIDAD.
REQUIERE UN ESFUERZO SOSTENIDO PARA ENTRENAR LA MENTE Y DESARROLLAR UN CONJUNTO DE CUALIDADES HUMANAS, COMO LA PAZ INTERIOR; LA ATENCIÓN PLENA; Y EL AMOR ALTRUISTA.

MATTHIEU RICARD

“

RECICLAR, BAILAR, MEDITAR, ABRAZAR Y TROTAR RIMAN BIEN CON BIENESTAR.

— Giancarlo Molero —

En el mundo empresarial, en las relaciones personales y en la construcción del Yo, la rutina es la oportunidad de fijar un conocimiento, una habilidad, en la medida en que la repetimos. Todo aquel que practica un deporte de alta competencia sabe que, si no hay una continua repetición de movimientos, lanzamientos, carreras o técnicas, no se logra el dominio esperado en dicha disciplina.

En el caso de las emociones, la felicidad sustentable, como lo hemos dicho en capítulos anteriores, la conseguiremos, siempre y cuando la practiquemos. La felicidad no es continua, simplemente no tenemos la capacidad de estar sonrientes o alegres todo el tiempo.

La vida es una montaña rusa, donde las emociones viven un constante vaivén. Si no practicamos los diferentes mecanismos de defensa que nos ayuden a balancearnos al momento de pasar por uno de esos picos de la pista de nuestra montaña, pues no habrá manera de soportar esos cambios bruscos que puedan sacarnos del carril.

En este capítulo aprenderemos a manejar un conjunto de acciones a realizar todos los días, que contribuirán en el refuerzo de las habilidades que se encuentran inmersas dentro del acrónimo AMARR, para sumar felicidad de una manera sostenida, con pequeñas acciones diarias.

Hay que tener bien en cuenta que la felicidad no se busca, se practica, se construye, se suma en nuestras vidas, se hace posible gracias a nuestras acciones.

Hay que tener bien en cuenta que la felicidad no se busca, se practica, se construye, se suma en nuestras vidas, se hace posible gracias a nuestras acciones.

El camino de la felicidad está marcado por los hitos de la **amabilidad, la meditación, el agradecimiento, las risas y las relaciones.** Tiene a su vez otros matices que se presentarán en la medida que nos vayamos enfrentando con el día a día, y que puede tener de todo, como momentos de amargura, de dolor, de tristeza, de rabia y en cada uno de esos días, podemos poner en práctica ciertas acciones que permitan transitar mejor ese camino y disfrutar de su recorrido.

EL ARTE DE REPETIR Y HACER RUTINA

Lo primero que voy a recomendar es que el despertador suene diez minutos antes cada día. Si hoy te levantaste a las 6:00 de la mañana, pues para mañana coloca el despertador para levantarte a las 5:50 a.m. En esos diez minutos que ahora tienes adicionales, en vez de tomar el teléfono y revisar las redes sociales, las noticias y otras cosas, comienza tu día con una serie de rutinas que te indicaré a partir de ahora.

Agradece

Hay una palabra que aporta mucho en tu felicidad y esa palabra es **Gracias.** Sé agradecido, que tu primer pensamiento sea: "Estoy agradecido por…", "Estoy agradecido con...".

Si eres capaz de hacer esto todos los días, agregarás a tu torrente sanguíneo unas gotitas de serotonina y unas gotitas de endorfina, ellas permitirán que te levantes de la cama con mejor humor y más feliz.

En esos mismos diez minutos adicionales que programaste en tu día, porque agradecer te llevará como máximo tres minutos, en vez de levantarte apurado, refunfuñando, tómate de tres a cinco minutos para estirarte.

Estírate

Estira los brazos, las piernas, la espalda, que es vital hacerlo, porque ella sostiene la carga de las emociones y un buen estirón la prepara para asumir el día. Tócate la punta de los pies y estírate con ganas, gira la cabeza para estirar el cuello, que regularmente amanece algo tenso luego de dormir, para que tu cuerpo comience a prepararse para la acción.

Si dedicamos cinco minutos del día para agradecer y cinco minutos para estirarnos antes de levantarnos de la cama, nos regalaremos en cada despertar un bonito día.

Ya levantados, dispuestos a comenzar con el aseo personal, al ducharte, hazlo primero con una ducha de agua fría por tres minutos al menos. ¿Por qué ducharnos con agua fría? El Dr. Chris Tulleken[24], presentador del programa *Confía en mí, soy doctor,* de la BBC de Londres, expone que el agua fría es buena para comenzar el día activo. El cuerpo entra en *shock* al entrar en contacto con las bajas temperaturas, por lo que libera adrenalina de manera natural a través de las glándulas suprarrenales, localizadas en la parte superior de los riñones.

El organismo produce y almacena esta sustancia y la libera en situaciones de alarma, estrés, miedo, peligro o excitación. Con su liberación, ayuda al cuerpo a enfrentarse a este tipo de situaciones. Si estás estresado amargamente por algo, una ducha de agua fría te ayudará a minimizar el nivel de estrés.

Sonríe

Otra práctica que puedes hacer con el aseo personal matutino, es que, al cepillarte los dientes, mientras lo haces y te ves al espejo, sonríe; y aunque parezca una tontería, muy pocas personas lo hacen.

En capítulos anteriores hablamos de los beneficios emocionales que produce la risa, genera endorfinas, dopamina,

24 Chris Tulleken. "Agua fría: ¿positiva?". *Diario de Yucatán,* 27/03/2018. https://bit.ly/3latKcB

serotonina y adrenalina, todas ellas, hormonas que contribuyen al bienestar físico. Aparte de estos beneficios, la pedagoga Isabel Rodero[25], del Centro TAP (Tratamiento Avanzado Psicológico), ubicado en Madrid, nos cuenta que la risa también actúa positivamente en nuestro cerebro.

En el cerebro, la risa activa el hipocampo (centro de la memoria) y se dirige hacia la amígdala (el centro de las emociones), poniendo en marcha después la zona del córtex —que es la destinada a los procesos intelectuales— y de ahí a la zona del cerebro que activa la sonrisa o la carcajada (núcleo acúmbeo). Esto depende del estado de ánimo, de la personalidad o la ausencia de trastornos psicológicos.

La experta comenta que algunos estudios indican que reír eleva el número de sustancias neurotransmisoras, y parece haber una correlación entre la risa y la disminución de la enfermedad de Alzheimer.

Medita

Mientras te cepillas, aparte de reír, también puedes meditar. En esos escasos tres minutos que pueda durar el cepillado, puedes hacer una rutina consciente de meditación. Así, podrás liberar tu mente, por unos minutos, del itinerario del día, de los pensamientos generados por los compromisos laborales, de preocuparte por el tránsito en la calle, entre otras, es decir, salir de esa programación automática que haces al asearte y te haces consciente de tu estado emocional.

Estas rutinas, que podemos realizarlas al iniciar el día, no toman más de tres minutos cada una por separado y tampoco interrumpen tu programación diaria. Las puedes hacer

---

25 Isabel Rodero, "La risa tiene efectos beneficiosos que podemos diferenciar a nivel físico y psicológico". *Cuídate Plus,* 12/02/2018. https://bit.ly/3rLMzp6

en paralelo con lo que acostumbras a hacer cada mañana. Esto no significa que tengas que hacerlas todas, todos los días, pero sí las puedes alternar para cumplir a diario con alguna de ellas.

Sé amable

Al salir de casa o al comenzar a interactuar con otras personas, procura insertar en tu día un acto de amabilidad. Puedes hacer pequeñas cosas que, seguramente, serán de impacto para quienes se beneficien, como mantener el ascensor abierto para que el vecino apurado no tenga que esperar hasta que la cabina regrese; puedes invitarle un café a un compañero del trabajo o servírselo y llevárselo hasta su escritorio y sorprenderlo con un acto de amabilidad. El hecho de disponerte a hacer un acto de amabilidad todos los días suma gotitas de felicidad.

Sumar gotitas de felicidad no significa que tu vaso no se vaya a drenar o vaciar, producto de un golpe que recibiste o de una situación difícil que puedas atravesar, significa que tienes la capacidad de reunir esas gotitas para que, en el momento de atravesar el desierto, tengas una fuente disponible para tomar.

Haz notas de agradecimiento

Hacer notas de agradecimiento frecuentemente también suman felicidad para tu vida y las de los demás. Las notas pueden ser de voz, escritas en mensajes de texto, o puedes escribirlas en hojas adhesivas que puedes dejar pegadas en el computador, en el carro o en algún lugar que frecuenten las personas con las que interactúas.

Al dejar la nota, tienes que ser lo más específico posible. Esta es una práctica que tiene mucho poder para fijar tu atención en el bienestar del otro y te sirve para distraer la atención de lo malo que te moleste o perturbe en tu día a día.

Toma una pausa

Otra de las rutinas que podemos hacer es un *break* de consciencia al mediodía. Consiste en tomar cinco minutos para respirar conscientemente o activamente y hacer una breve meditación. Hay cientos de aplicaciones de meditaciones cortas que puedes buscar en internet e instalarlas en tu *smartphone*, que te pueden servir para tomar tu momento de autorreflexión en tu hora de almuerzo, cuando ya el día ha desgastado parte de tus energías y empieza a invadir tu mente el deseo de que termine el día para regresar a casa y descansar.

Camina y observa

Un paseo al aire libre es una buena actividad para hacerla rutina. No todos tenemos la posibilidad de ir a un parque todos los días, de ir a la montaña, a la playa y disfrutar de la naturaleza por largo rato, pero, si te tomas el tiempo para ver con detalle la ruta que tomas camino al trabajo, podrás notar que posiblemente hay un viejo árbol cerca de tu casa y que el follaje de sus ramas lo hace hermoso. Tal vez puedas ver el cielo azul en una mañana despejada, mientras lo admiras en tu caminata, o ves formas en las nubes y evocas recuerdos felices de tus momentos de infancia.

La idea es que te desconectes del teléfono y de las preocupaciones. Admira la belleza que hay en las cosas que te rodean y a las que pocas veces les das la debida atención, por pensar siempre en lo que te agota, te estresa y te resta felicidad.

Si puedes caminar hasta tu lugar de trabajo, hazlo, cambia tu ruta, no tomes, por un día, el mismo camino. Detalla lo que se esconde al aire libre, comienza a entender lo que ocurre en el mundo que te rodea y que no detallas por andar siempre apurado.

Escucha música

A la vida hay que ponerle música. Si estás en la ducha y te provoca cantar, canta. Si manejas camino al trabajo, pon música mientras manejas y canta, muévete y simula que bailas. Si vas en el metro o transporte público, usa audífonos y escucha la música que tienes en el teléfono y baila, aunque la gente te mire extraño. Eso activa tu organismo y libera una cantidad de químicos que suman a tu felicidad.

Nada de lo que hasta el momento has leído es una práctica casual. Todas estas actividades hacen que tu organismo esté física y químicamente condicionándose para estar más feliz y más resistentes a las duras pruebas que te pueden pasar en el camino.

Abraza por siete segundos o más

Otra actividad muy rica es dar abrazos de siete segundos. Aunque te parezca que es un abrazo muy largo, mucha gente lo practica. Si das un abrazo de siete segundos a alguien y alineas tu respiración con esa persona, estarás generando una cantidad de dopamina inmensamente amplia, en comparación con esos abrazos *flash* de dos palmaditas o con los abrazos de machos vernáculos, que no se pueden tocar, porque creen que es raro abrazarse muy fuertes.

Estos abrazos que te recomiendo, generan la oportunidad de conectarte con alguien y que te suman una cantidad increíble de dopamina, uno de los neurotransmisores generadores de felicidad.

Si lo practicas con tu pareja, con tus hijos, con tus padres, con tus amistades y lo haces con frecuencia, primero, harás que esa acción se convierta en algo regular en tu quehacer diario, y luego cuando ya le hayas dado a alguien varios abrazos de ese tipo, esa persona notará que cada abrazo se hace sentir de una manera distinta.

La recomendación para alinear tu respiración con quien abrazas, es que, mientras esa persona inhala, tú exhalas, y cuando ella exhale, tú inhales. De esta manera, tendrán una mejor alineación en la frecuencia cardíaca, respiratoria, lo que producirá más dopamina, serotonina y bajará la frecuencia de las ondas cerebrales en ambos al mismo tiempo, y lo increíble es que eso ocurre en los siete segundos que dure ese abrazo.

Habla contigo

Ya, para cerrar el día, en el capítulo anterior hablábamos de la relación con la tecnología y la rutina de apagar el celular una hora antes de ir a dormir. Al cepillarte los dientes antes de acostarte, mírate frente al espejo y recuerda un momento importante del día y evalúa qué te sumó.

A diferencia de la rutina de agradecimiento al levantarte, en esta rutina de cierre de día, estarás en agradecimiento y en amabilidad contigo mismo. Te pondrás en primer plano y te dirás lo bien que lo hiciste en el día, con la gente que siempre te acompaña, sabrás lo bueno que cocinaste para la familia, lo bien que estuviste en tus prácticas deportivas, en tu trabajo o en tus estudios, y te das esas palmaditas tú mismo, te hablas de corazón a ti mismo, te dices que te amas, que te quieres y que estás muy orgulloso de ti.

Ese reforzamiento lingüístico, en donde te hablas en segunda persona a ti mismo, está comprobado que tiene efectos importantísimos en tu vida. ¿Cuánto puede durar esa rutina? Lo que dure tu cepillado.

La práctica diaria de estas actividades son ejercicios que tienen que ver con afirmaciones, con actos de amabilidad, son acciones que tienen que ver contigo mismo y con otros; son ejercicios que tienen que ver con tu consciencia plena, con la exploración del mundo que te rodea, ejercicios que tienen que ver con la risa y que cada uno de ellas busca sumar felicidad en ti.

Disfruta del amanecer

Hay otras cosas que no necesariamente tienes que convertirlas en rutina, porque implican disponer de más tiempo para hacerlas, pero son acciones que inspiran muchísimo y hacen mucho bien. Al levantarte, trata de ver el amanecer.

El ser humano, al igual que otras especies, siente un apego natural por el amanecer. Ver destellar los colores que se forman en el cielo, mientras el astro rey se levanta, causa un despertar en nuestro interior que se siente muy bien.

Ver cómo el manto de la noche se va transformando en una paleta de múltiples colores para pasar a una gama purpúrea, que luego se abre ante los matices rojo y naranja, y que revelan el claro azul celeste que anuncia un nuevo amanecer es un hecho mágico y maravilloso.

Esos colores son los colores de la vida, de la felicidad y solo los podemos ver en el amanecer y en el atardecer. Es muy diferente cuando los ves a través de una pantalla de un teléfono, una computadora o un televisor. Cuando estás ahí, con el sol que nace o con el sol que se oculta, estás diciéndole a tu cerebro y a tu ser en esencia, que esta vida es maravillosa, plena y hay que dar gracias por tenerla. Estas rutinas están para que tu día a día sea mejor. Son cosas prácticas que sumarán felicidad sustentable a tu vida.

Luego de leer todo lo que hasta aquí hemos presentado, espero que hayamos logrado cambiar tu estado de ánimo para mejor, seguro que tu disposición ante la realidad que ahora estás viviendo ha cambiado en grande y para bien. Si ha sido así, entonces podemos decir que hemos cumplido con el objetivo del libro.

Espero que ya, a estas alturas, mientras lees este ejemplar, sepas identificar tus emociones y estés más consciente de ellas y que, por otro lado, entiendas que ser vulnerable no es una debilidad, sino que entiendas que más bien es una fortaleza.

Espero que comprendas que expresar cómo te sientes siempre será un buen plan, aunque a veces no sea tan adecuado en el ámbito social. Espero que entiendas que pedir ayuda o pedirle a otra persona que te escuche, es lo mejor.

La vida feliz es más sencilla cuando dejamos de esperar que las cosas buenas sucedan y nos disponemos a encontrar lo bueno en cada cosa que hacemos.

Tener la **humildad** de pedir ayuda, en primer término, hablará muy bien de ti, demostrará que eres una persona valiente y que, al hacerlo, sabrás con consciencia que no estamos diseñados para vivir la vida de manera individual, sabrás que siempre vamos a necesitar de alguien en muchos momentos, que necesitaremos de su hombro para llorar y que llevar una vida feliz está muy lejos de vivir una vida en continua alegría.

Cuando despierto cada mañana, además de practicar lo que venimos comentando, pienso de qué manera podría yo impactar en la vida de otros. Ahora, mientras me lees, quiero darte las gracias por interesarte en nuestra visión de la felicidad y espero que algo de lo que aquí venimos contando puedas aplicarlo en tu vida.

No debemos esperar por un nuevo golpe en nuestra vida para mejorar nuestro ser, debemos seguir aprendiendo de manera activa el cómo, en lugar de frustrarnos por habernos "ponchado" sin hacerle *swing* a la pelota. Más bien procurar prepararnos de manera potente, para que cada uno de nuestros *swings* sean al menos un hit y quizá hasta un jonrón.

En nuestro concepto de felicidad, no hay nada que tenga que ver con vivir la vida alegre y muerto de la risa, o batearla siempre de jonrón. La vida feliz es más sencilla cuando dejamos de esperar que las cosas buenas sucedan y nos disponemos a encontrar lo bueno en cada cosa que hacemos. Somos más felices cuando procuramos hacer el mejor *swing* y jugar para el equipo, haciendo que nuestros aportes sumen "carreras", como sinónimo de bienestar en la vida de los demás.

VIVIR UNA VIDA FELIZ PASA POR APRECIAR MÁS DE LO BUENO Y HACER QUE LO BUENO SE APRECIE. PROCURA CRECER Y APRENDER EN LUGAR DE QUEJARTE Y PADECER.

EPÍLOGO

Muchas veces nos aferramos a nuestro ego y buscamos que la vida no lo destruya. Para evitarlo, nos ponemos máscaras, desarrollamos corazas, nos ponemos escudos, procuramos vernos siempre lo mejor posible y que siempre seamos reconocidos como los mejores, los más importantes, los más disciplinados y responsables.

La realidad es que si no somos nosotros mismos quienes rompamos con ese ego, a través de la vulnerabilidad y la humildad, que comienza con el reconocimiento de las emociones y la interpretación de cómo esas emociones pueden afectarnos, no habrá manera en que la vida no lo reviente y lo haga añicos. La vida te va a reventar el ego no una, sino que lo hará varias veces.

La mayoría de las personas que se sienten infelices, deprimidas o estresadas, se encuentran en esa situación porque no se dieron cuenta de que en vez de ir en contra de la naturaleza de la vida, que es evitar caída tras caída, hay que estar preparados para levantarse en cada una de ellas, y en vez de construir un modelo ideal de persona, basado en las apariencias, una figura literalmente egocéntrica, tenían que construir la figura de la persona ideal que reconoce, interpreta y sabe expresar las emociones y que, a través de la gratitud y la amabilidad, se puede formar un mejor Yo a partir de las imperfecciones, luego de entender cuáles son sus vulnerabilidades y sus debilidades.

Si las personas lo logran hacer, vivirán mucho más felices, porque cuando les toque un golpe de la vida, no sentirán que todo está en su contra, sino que lo verán como parte de un aprendizaje.

Hay una gran cantidad de personas que cree que, para ser feliz, hay que ser dulces, porque no hay a quien no le guste un dulce y la vida es muy diferente a esa dulzura ficticia que creemos que tiene.

Más bien, la vida con propósito está ligada a la sal. Esta representa a la humildad pura. Si le pones mucha sal a una comida, de inmediato, la gente se quejará por estar muy salada y porque repugnará al comer. Si le pones muy poca sal, entonces la comida quedará desabrida, sin sabor.

La sal está asociada a la persona que construye sobre su humildad, sobre su vulnerabilidad y su resiliencia. Las fallas las toma como algo que proviene de su personalidad y cuando la comida está en su punto, con el contenido perfecto de sal, hay que aceptar que nadie va a expresar que la comida tiene el sabor de la sal en su punto, porque sencillamente así tiene que ser.

Muchos nos enfocamos siempre en alcanzar lo bueno, lo bonito y aferrarnos a las cosas positivas. En realidad, la figura a seguir para poder mantenerte feliz en el camino, a pesar de los golpes, es seguir los acrónimos que hemos detallado a lo largo del libro y aceptar que nacimos para dar.

Las personas tienen que vivir y disfrutar de lo mejor que le puedas dar y si lo que das sale mal, échate la culpa, que no pasa nada. Mientras te señalen de culpable o mientras aceptes la culpa, con la nueva conducta que hemos venido desarrollando a lo largo del libro, vas a poder crecer y mantener una actitud de felicidad.

Nadie celebra ser la sal en las comidas, más bien la gente celebra ser el toque dulce de los postres. Ser la sal es contribuir a que la vida tenga sabor, que las cosas sepan bien, y cuando se te pasa la mano con el sabor, hay que asumir la culpa y continuar sin cargos de consciencia.

Cuando digo que se pasa la mano con la sal, me refiero a los comportamientos desacertados de conducta que una persona pueda tener. Esa persona sencillamente no dio lo suficiente, no cumplió con algún acuerdo de convivencia, no respetó a los demás, entre otros inconvenientes.

Para cerrar la figura de las rutinas que hemos venido desarrollando a lo largo del libro, les recomiendo practicarlas como una actividad automática del acontecer diario. Sumarán en sus vidas felicidad sustentable, mas no pretenden eliminar ni suprimir los recuerdos negativos de episodios funestos que hayan experimentado a lo largo de sus vidas; al contrario, con todas esas herramientas rutinarias que ahora conoces con cierto grado de consciencia, puedas aprovechar las cosas buenas que vinieron después de ellas.

El despertar, habrá un nuevo amanecer, con una nueva oportunidad de estar mejor.

El final de este libro es el comienzo de una nueva historia de alguien que entendió que no importa si se encuentra en el fondo, de rodillas, deprimido, lo que realmente importa es que habrá momentos peores en el camino, pero tendrá la plena seguridad de que, al despertar, habrá un nuevo amanecer, con una nueva oportunidad de estar mejor, siguiendo los consejos que hemos brindado a lo largo de este contenido.

DECÁLOGO PARA LA FELICIDAD SUSTENTABLE

Despierta con la palabra ***gracias*** *en tus labios,*
en tu mente y en tu corazón.
El día es un regalo que te da la vida,
por eso la llamamos «presente»
y a ella hay que agradecer.
Activa tu cuerpo, sacúdelo, ***estírate*** *con ganas*
para que tu cuerpo pueda soportar la carga del día.
Disfruta del alba
a través de tu ventana
o si puedes, al aire libre.
Observa cómo el cielo se viste de colores,
siente la vida fluir dentro de ti
y llénate de alegría.
Sonríe siempre*,*
no importa lo que pase, sonríe.
Cada risa es una gota de felicidad
que te sirve de alimento
para combatir un mal día.

Medita a diario*,*
te servirá para evaluarte
y mirar con buen ojo tus acciones.
Si has hecho algo malo, rectifica,
pide disculpas,
deja el orgullo,
porque la carga no suma a tu vida.
Sé amable *con las personas.*
La bondad es una virtud
que te hace más humano.
Lo que das a las personas
es lo que recibirás de ellas.
Que **la música** *marque el ritmo de tus pasos.*
La naturaleza te canta a diario sus canciones,
canta de vez en cuando para ella
y baila por tu felicidad.
Disfruta del mundo *que te rodea.*
Observa el árbol que se mece con el viento,

disfruta del vuelo de las aves,
siente la brisa que acaricia tu rostro.
El mundo está vivo
y te lo expresa mientras caminas al trabajo,
cuando vas al colegio
o cumples con tus compromisos.
Vive la vida siendo, no haciendo.
Recuerda, eres parte de un equipo, un conjunto.
Al levantarse el sol en lo más alto,
***toma una pausa** y respira profundo.*
En tu hora de almuerzo,
aparta un tiempo para ti,
siente tu respiración,
los latidos de tu corazón,
lo que tocas, lo que hueles,
lo que ves, lo que escuchas,
lo que saboreas.
Que tu cerebro recuerde que lo principal
es vivir para ser feliz.
Al cerrar el día y antes de dormir,
***habla con Dios, pero también contigo**.*

Que tu Yo se sienta orgulloso de tus acciones,
recuerda lo mejor que hiciste y si lo puedes repetir,
hazlo nuevamente al siguiente día.
Date unas palmaditas, porque eres bueno,
porque eres bondadoso,
porque eres una persona muy especial.
Recuerda, tu felicidad hace feliz a otros,
y eso es de admirar.
Vive convencido de que puedes ser feliz
con las pequeñas acciones
que hacen grandes a los hombres y mujeres de bien.
Mientras tanto,
¡sonríe, que nadie te está viendo!

VIVIR UNA VIDA FELIZ PASA POR APRECIAR MÁS DE LO BUENO Y HACER QUE LO BUENO SE APRECIE. PROCURA CRECER Y APRENDER EN LUGAR DE QUEJARTE Y PADECER.

@GMHAPPINESS
@TOYFELIZNET

Made in the USA
Columbia, SC
19 March 2021